U0462694

聚焦三农：农业与农村经济发展系列研究（典藏版）

中国粮食综合生产能力研究

Study on the Overall Grain Production Capability in China

马文杰　著

科学出版社

北　京

内 容 简 介

本书借鉴樊胜根分析经济增长的一篇经典文章，构建一个粮食综合生产能力的分析框架，将中国粮食综合生产能力的影响因素分为投入要素、技术进步和技术效率三个重要方面，指出粮食综合生产能力其实质是各种投入可以转化为现实粮食产量的能力，很大程度上表现为粮食生产的效率。运用定性与定量分析相结合的方法，详细分析了技术进步、宏观粮食政策及自然灾害对粮食综合生产能力的影响，在此基础上，提出保护和提高中国粮食综合生产能力的政策措施和建议。

本书可供农业经济管理及相关专业的高等院校师生、科研工作者、相关政府部门及其工作人员参考。

图书在版编目（CIP）数据

中国粮食综合生产能力研究／马文杰著. —北京：科学出版社，2010
（2017.3 重印）

（聚焦三农：农业与农村经济发展系列研究：典藏版）

ISBN 978-7-03-027467-0

Ⅰ. ①中… Ⅱ. ①马… Ⅲ. ①粮食 – 生产能力 – 研究 – 中国 Ⅳ. ①F326.11

中国版本图书馆 CIP 数据核字（2010）第 081553 号

责任编辑：林 剑／责任校对：郑金红
责任印制：钱玉芬／封面设计：王 浩

科学出版社 出版

北京东黄城根北街 16 号
邮政编码：100717
http://www.sciencep.com

北京京华虎彩印刷有限公司 印刷
科学出版社发行 各地新华书店经销

*

2010 年 5 月第 一 版 开本：B5（700×1000）
2010 年 5 月第一次印刷 印张：10
2017 年 3 月印 刷 字数：200 000

定价：69.00 元
（如有印装质量问题，我社负责调换）

总　序

农业是国民经济中最重要的产业部门，其经济管理问题错综复杂。农业经济管理学科肩负着研究农业经济管理发展规律并寻求解决方略的责任和使命，在众多的学科中具有相对独立而特殊的作用和地位。

华中农业大学农业经济管理学科是国家重点学科，挂靠在华中农业大学经济管理学院和土地管理学院。长期以来，学科点坚持以学科建设为龙头，以人才培养为根本，以科学研究和服务于农业经济发展为己任，紧紧围绕农民、农业和农村发展中出现的重点、热点和难点问题开展理论与实践研究，21世纪以来，先后承担完成国家自然科学基金项目23项，国家哲学社会科学基金项目23项，产出了一大批优秀的研究成果，获得省部级以上优秀科研成果奖励35项，丰富了我国农业经济理论，并为农业和农村经济发展作出了贡献。

近年来，学科点加大了资源整合力度，进一步凝练了学科方向，集中围绕"农业经济理论与政策"、"农产品贸易与营销"、"土地资源与经济"和"农业产业与农村发展"等研究领域开展了系统和深入的研究，尤其是将农业经济理论与农民、农业和农村实际紧密联系，开展跨学科交叉研究。依托挂靠在经济管理学院和土地管理学院的国家现代农业柑橘产业技术体系产业经济功能研究室、国家现代农业油菜产业技术体系产业经济功能研究室、国家现代农业大宗蔬菜产业技术体系产业经济功能研究室和国家现代农业食用菌产业技术体系产业经济功能研究室等四个国家现代农业产业技术体系产业经济功能研究室，形成了较为稳定的产业经济研究团队和研究特色。

　　为了更好地总结和展示我们在农业经济管理领域的研究成果，出版了这套农业经济管理国家重点学科《农业与农村经济发展系列研究》丛书。丛书当中既包含宏观经济政策分析的研究，也包含产业、企业、市场和区域等微观层面的研究。其中，一部分是国家自然科学基金和国家哲学社会科学基金项目的结题成果，一部分是区域经济或产业经济发展的研究报告，还有一部分是青年学者的理论探索，每一本著作都倾注了作者的心血。

　　本丛书的出版，一是希望能为本学科的发展奉献一份绵薄之力；二是希望求教于农业经济管理学科同行，以使本学科的研究更加规范；三是对作者辛勤工作的肯定，同时也是对关心和支持本学科发展的各级领导和同行的感谢。

李崇光

2010 年 4 月

目　　录

第 1 章
导　　论

粮食，是一种特殊商品，其特殊性在于它是人所必需的基本食物，是人类赖以生存和发展的重要基础，关系国计民生，关乎社会的稳定、发展和国家的安全。粮食如同石油、淡水资源一样是一种战略性物资的提法被越来越多的人所认同，粮食安全的重要性日益深入人心。

对于一个拥有十几亿人口的发展中大国来讲，粮食安全问题始终是一个永恒的话题，是历来学术界及政府部门关注的焦点。经济转轨的时代背景、世界贸易组织（WTO）的国际环境及中国持续增加的粮食需求把粮食安全问题推到了一个更加重要的地位，而这正是本论文研究的基本出发点。

1.1　问题的提出

1.1.1　粮食安全的重要性

"国以民为本，民以食为天"，"仓廪实而知礼节，衣食足则知荣辱"，"手中有粮，心中不慌"，"无农不稳，无粮则乱"，"安民之本，必资于食，安谷则昌，绝谷则危"。这些或经典或通俗的话语，都是历史经验的总结，无不精辟地阐明了粮食在国民经济中的重要性。无论社会如何发展，科学如何进步，吃饭问题永远是人类最基本的问题。回顾人类的发展，我们会清楚地看到，饥饿和反饥饿一直贯穿其中。

粮食作为一种特殊商品，在人类文明史上写下了浓厚的笔墨。距今 7000 年前的浙江余姚河姆渡文化遗址中，就发现有人工栽培的古稻谷约百吨，以及大量的粮食加工工具。由于粮食是人类的最基本生活资料，历史上它几乎发挥了货币的作用，由粮食问题而引发的动荡、战乱比比皆是，因此历朝均设置了专门的官职或机构管理粮食的收购、销售、储运等环节，力保粮食供求平衡。新中国成立以来的实践同样体现了粮食的特殊重要意义。"以粮为纲"持续了数十年之久，但在粮食上还是出了不少问题，特别是 20 世纪 60 年代初的"三年自然灾害"期间，许多群众因缺少食物而丧生，这样的历史教训值得我们深思。

从经济学理论来说，无论马斯洛的"需求层次论"还是马克思的经济理论都指出，一个社会只有满足了人们的生存需求之后，才能开展其他的活动。所谓生存需求，首要的当然是"吃饭问题"。在我国和世界的大多数国家，粮食是人们的主食，人们的饮食习惯是不易改变的。中国农业科学院的调查表明，目前我国人民摄取的热量和蛋白质，3/4 来源于粮食。我国人口数量已超过 13 亿，粮食作为与 13 亿人口休戚相关的商品，其特殊性自然是不容置疑的。

中国是一个农业大国，也是一个农业资源特别是耕地资源极度匮乏的国家。"以占世界 7% 的耕地养活了占世界 22% 的人口"是对中国农业对世界所作贡献的充分肯定，同时也是中国耕地资源匮乏的生动写照。粮食安全问题一直是一个引起全球广泛关注的问题，涉及粮食生产、分配、贸易、消费等各个环节，是一个包括宏观调控、储备流通、质量监测等诸多层次的系统工程。对于中国这样一个资源匮乏的农业大国，妥善解决粮食安全问题有着重要的政治和经济意义。

由我国的国情、粮情所决定，粮食无论过去、现在还是将来都是关系国计民生的战略物资。粮食安全对于我国经济发展、社会稳定、政治稳定都具有举足轻重的战略意义。

1.1.2 传统的粮食安全解决思路

国内关于我国粮食安全的解决思路具体来说主要有立足国内、确保粮食安全和利用国际市场，保证我国粮食供给两种观点。

1.1.2.1 通过国际市场实现中国粮食供求总量的基本平衡

这是当前很流行的一个观点，然而这种想法不现实。从经济学的角度看，中国作为快速发展的国家，多进口没有比较优势的粮食，对资源配置的改善、农民的收入增加甚至经济增长都有好处。但是有些出口大国常以粮食作为武器来达到政治目的，各国都不愿意自己的粮食安全被其他国家控制。中国为了生存，自然也就不能也不愿意大量进口粮食（林毅夫，2004）。中国人的饭碗只能端在自己手里，这是一个永恒的话题。

作为中国这样一个 13 亿人口的大国，完全依赖国际市场来解决自己的粮食问题是不安全的，也有巨大的政治风险。尽管说中国遭受粮食禁运的可能性极小，但在不正常年景下（国际粮价暴涨或国内发生大的自然灾害），中国可能会因为进口大量的粮食而蒙受巨大的损失。中国是一个有 13 亿人口的发展中国家，仅凭这一点来说，世界上没有哪一个国家"养"得起中国人。那种把中国的粮食安全寄托在其他国家上的想法不仅是幼稚的，而且是相当危险的。日本、韩国都是经济发达国家，有较强的国际购买力，但多年来都是以高成本、高补偿来维持其本国口粮的生产，其根本原因就是要把饭碗端在自己手里。另外，世界的粮食资源也十分有限，目前每年世界谷物贸易量只有2亿吨左右，而且粮食国际市场相对固定，不可能长期为中国提供足够多的粮食。很多人都认为，国际市场上粮源充足，只要有外汇就总可以买到自己需要的粮食，但中国是一个大国，受"大国效应"影响，随着中国进口粮食的增加，国际市场的粮价会因此而上涨，使中国蒙受不必要的损失，严重的情况下甚至会因为吃饭问题而消耗掉中国所有的外汇，使中国买不起所需的粮食。对中国而言，即使撇开对国际粮食市场不稳定性和其他非经济风险的担忧，从技术上看，中国尚不具备依赖国际市场解决粮食问题的基本条件。如国内市场发育迟缓，粮食市场体系不健全，行业组织严重滞后，全国统一大市场还未形成，缺乏风险管理机制和工具。目前中国既没有美国、法国和德国那种能够垄断全球粮食贸易的大粮商，没有类似加拿大、澳大利亚小麦局等贸易组织，也没有日本、韩国那样的进口管理机制，参与国际竞争的贸易主体还处于成长阶段。现有贸易基础设施也不具备承担大规模进口粮食的能力（程国强，2005）。因此，要解决中国的粮食问题，满足十几亿人口的粮食需求，不可能过分依靠国际市场来解决，必须立足于国内生产，实现粮食基本自给①。

1.1.2.2　粮食自给战略

中国粮食自给（或基本自给）有助于世界粮食市场的稳定，但中国也为"粮食自给"付出了巨大的代价。这种传统的粮食安全观本身没有什么问题，但在执行过程中将自给自足的观念任意扩大，不仅要求各地区自求粮食供应的平衡，而且在实践中要求贫困缺粮地区的农民也必须通过扩大粮食生产来满足自身的消费需要。这样做往往导致自然资源的破坏和生态环境的恶化，不仅不能解决这些地区低收入人群的粮食供应问题，而且更加深了这些地区缺粮问题的严重性。其获得的粮食产量有相当一部分是以生态成本为代价来支撑的：在不宜农耕的生态脆弱区，粮食生产是以广种薄收的粗放式进行的，用外在的生态资源投入替代内在的物质成本投入，以减少产品的物化成本比例。目前中国超生态负荷的农田总量不低于1.5亿亩②，仅25°坡以上的农田就有9200多万亩（崔晓黎，2001）；在适宜农耕的地区，生产任务加重使得粮食生产越来越多地依赖化肥等

---

① 关于中国应维持一定的粮食自给率，有三个理由：一是中国是一个大国，不能依赖世界市场的供给。R. Brown 为中国的粮食供求描绘了一个可怕的前景。二是粮食是特殊的商品，为了规避西方国家可能的禁运，自主的粮食供给具有重要的政治和经济意义。三是大多数农民的收入仅仅来源于农业生产，加入WTO 的低粮价可能给农民带来巨大的损失，为了降低这种损失，本国的粮食应维持一定的水平。对于以上理由，可以参见蒋庭松. 2004. 加入 WTO 与中国粮食安全. 管理世界，(3)：82－94.

② 1亩≈666.7平方米，后同。

生产要素的投入，土壤板结、退化严重，自然灾害频繁。这样，中国粮食供给能力、总量以及价格水平存在很大扭曲，并隐含了生态透支成本。用经济学的说法，粮食的边际成本非常高。另外，中国粮食生产成本持续上升不断抬高粮食价格，国内市场粮食价格与国际市场粮食价格的差距不断扩大。因此，在正常年景下（国际粮食市场无巨大的价格波动和国际政治环境稳定），适度多进口一些粮食，可以减轻我国的生态资源压力，是符合我们的利益的。

1.1.3 粮食综合生产能力：中国粮食安全的必然选择

传统的粮食安全观要么片面强调增加生产，强调自给自足，忽视经济效益，忽视降低成本与加强粮食安全的关系；要么强调依靠国际粮食贸易解决国家粮食安全，把粮食安全寄托在其他国家身上，隐含有巨大的政治风险。在粮食供求形势和国家政治经济实力发生巨大变化以后，传统的粮食安全观失去了存在的理由。

要确保国家粮食安全必须采取综合性的措施，停留在一种战略上必有失偏颇。在对粮食品质需求日益增加的今天，选择"藏粮于地"与"藏粮于市"相结合的粮食安全战略，立足保护和提高粮食综合生产能力，是中国粮食安全战略的必然选择。这种粮食安全战略着眼于提高和保护粮食综合生产能力，但这种生产能力并不是立即转化为现实的粮食产量，而是随着粮食需求量的增长能及时适度地增加粮食产量，转化为现实的粮食供给能力。储备粮食综合生产能力一方面最大限度地利用国际市场和国外资源满足本国粮食供给，使我国农业资源的生态压力减轻而得到良性的恢复与发展，同时又可以在国际粮食价格暴涨的情况下迅速将粮食综合生产能力转化为现实的粮食供给能力，将粮食价格暴涨而带来损失的可能性降为最小，确保我国粮食供给的长期安全。

保护和提高粮食生产能力，在我国具有特别重要的现实意义。一方面，我国粮食供求已出现了阶段性、结构性供大于求，在此局面下，如果将此简单地理解为我国粮食问题彻底过关，在政策设计和实施调减粮食产量的同时，弱化了粮食的生产能力，使之回升乏力，当粮食供应偏紧时，就无法对粮食需求进行积极而有效地回应，必将再一次引起粮食供应的紧张，造成粮食陷入"多-少-多"的恶性循环境地。另一方面，如果视目前供大于求局面于不顾，在政策设计和实施上，继续扩张粮食生产总量，则会使供求矛盾更加突出，造成粮价下降，给粮农带来损失，使粮农陷入贫困之中，甚至贫困到不能维持粮食的再生产，当再次粮食供应偏紧时因为粮农购买不起合适的生产资料而造成粮食产量下跌、供应紧张。所以，问题的关键是建立一种调控机制，可根据粮食供求关系的变化情况，通过国家政策的适时调整和对种粮农民积极性的刺激，使粮食产量形成一个可以随粮食需求而随时调控的量，这种机制能保护和提高粮食综合生产能力。通过一系列政策措施和技术手段涵养、蓄积和储存粮食的生产能力，使之形成稳步的发展态势，在粮食供不应求时通过提高粮价、对粮食生产资料进行补贴及刺激农民种粮积极性等政策措施迅速地转化为现实的粮食产量，在粮食供大于求时亦不损伤这种能力。因此，必须树立能力重于产量的观念，建立能力大于产量的机制[①]。

由于粮食生产是一个非常复杂的巨系统，粮食综合生产能力与粮食生产资源的数量与质量、生态环境、科技应用、经济体制、经济政策等方面的关系极其复杂。因此，系统地、深层次地分析粮食综合生产能力影响因素、地区差异特征，了解我国粮食综合生产能力的现状、问题及未来我国粮食综合生产能力可以达到的量，探讨保护和提高我国粮食综合生产能力的政策措施，建立一整套适合我国国情的粮食综合生产能力保护机制，对于加快提高我国粮食的综合生产能力和市场竞争力，实现粮食生产的可持续发展和粮食安全目标，具有十分重要的现实意义和长远的政治经济意义。

1.2 研究背景和研究目的

1.2.1 研究背景[②]

1.2.1.1 研究的国际背景

（1）世界粮食的供求状况不容乐观

20 世纪 90 年代后，世界粮食总产量增加不快，甚至下降，到 2002 年，世界谷物总产量达到 18.10 亿吨，比 1996 年的 20.69 亿吨减少了 2.59 亿吨，比 2001 年减产 2.9%；而需求却在持续上升，2002 年达 18.96 亿吨，比 2001 年增长 1.7%，需求大于产量。世界谷物库存量也在下降，2002 年末库存 4.19 亿吨，比 2001 年下降 17.1%，更比 2000 年期末库存下降 22.4%。

根据联合国粮食及农业组织（FAO）2005 年 3 月发布的《世界粮食展望报告》和美国世界农业展望委员会（WAOB）2005 年 9 月发布的《世界农产品供

---

① 对中国这样的人口大国而言，通过提高粮食综合生产能力来保障粮食安全，对于我国粮食政策的制定更显得迫切和必要。首先，在提高粮食主产区综合生产能力基础上，可以适当淡化自给率，放宽、放活粮食贸易政策。其次，储备生产能力比储备粮食能更有效地确保我国的食物安全，这也是实现我国农业持续发展的根本。最后，它不仅发挥比较优势，也有利于提高政府支持的效率。前者把资源状况和劳动投入、社会投入有机组合，达成资源配置最优化，为农业竞争力的提升创造了一个良好的外部条件。后者在努力增加投入、盘活现有存量的基础上，把有限的资金集中起来，实行重点扶持、合理倾斜，促进农业战略性调整（李春海，2004）。

② 对于粮食综合生产能力研究的国际、国内背景，周慧秋在其专著《东北地区粮食综合生产能力研究》作了颇为详尽的论述，本论文参考了其大量的研究成果，在此表示衷心感谢。

需形势展望报告》提供的相关数据，2005年世界粮食播种面积稳中略增，但由于粮食单产较去年呈现较大幅度回落，2005年世界粮食产量预计为21.72亿吨，高于2000~2004年的平均年产量，但比2004年减产7736万吨，下降3.4%。

在处于粮食不安全状态的情况下，极有可能会因某个主要产粮国收成变动，而引起世界性粮食危机。据FAO统计，在收入很高的国家，人均收入增加1%，粮食消费增加1%~2%；而典型的低收入国家，人均收入每增长1%，每人粮食消费增长7%~8%（周慧秋，2005）。

（2）环境与资源对粮食生产的制约凸显

目前广大发展中国家自然资源退化严重，土地沙化面积不断扩大，水源污染严重，持续干旱频频发生。自然资源的退化导致贫困化加剧，而贫困化加剧又促使自然资源退化加剧，特别是世界性水危机成为制约粮食生产发展的致命因素，令人担忧。1996~2000年，严重干旱的国家由28个增加到46个，加之水资源导致土地退化，有3015万公顷左右的土地不同程度盐碱化（丁声俊等，2003）。

世界范围内粮食连续减产很大程度上是由于如土地荒漠化扩张、地下水位下降、气温上升引起的气候变化等环境的恶化造成的。由于人类活动引起的环境退化增加了自然灾害发生的频率和强度，严重抵消了技术进步和农业基础设施投入增长带给农业增产的正面作用。

由淡水资源短缺造成的农业减产严重。水资源的匮乏使水库蓄水量减少、农业有效灌溉率不足，进而导致粮食减产。水资源短缺对粮食生产的影响虽然引起了人们的普遍关注，但短期内人类对水资源恶性透支导致的对粮食安全的长期影响并没有引起人们足够的重视。

气候变化同样制约农业生产的增长。近年来大量研究表明：粮食产量增势递减可能与同期气候变化有关。由温室效应导致的全球气候变暖加强了水分循环，使旱涝灾害天气增加。据美国与菲律宾农业研究部门联合研究的资料显示，气温每上升1℃，粮食产量将减少10%。联合国政府间气候变化专门委员会（IPCC）的资料显示，到2025年，发展中国家水资源供应对作物最高产量的满足程度将从目前的86%下降到75%。发展中国家抵御自然灾害的能力弱，由灾害气候引起的粮食产量将减少3%~5%（亚洲国家将减少5%~8%）。

（3）经济全球化加剧，对发展中国家隐藏着风险

经济全球化对世界粮食安全带来好处的同时，也对世界粮食安全（特别是贫穷的广大发展中国家）带来严重的危机。在不平等的国际贸易和粮食产、销分布不均衡的条件下，占据优势地位的工业化国家一方面千方百计运用贸易自由化的武器占领广大发展中国家的市场，另一方面又不断加强国内农业保护，提高市场壁垒，严重限制发展中国家对发达国家的市场进入（丁声俊等，2003）。因此，怎样引导经济全球化和贸易自由化，更有利于低收入的发展中国家及其低收入阶

层的居民，特别是考虑对他们的粮食和食物影响状况，以及对自然资源的影响，是建立国际经济新秩序的重要课题。

当前发展中国家粮食安全问题表现在以下几个方面：一是健康状况和营养状况恶化。目前广大发展中国家，多达 8 亿人营养不良，人均从粮食等食物消费量中摄取热量低于 2200 卡路里①的国家多达 33 个，还有大量人口患有地方病、传染病等。二是发展中国家膳食结构差，淀粉类食物在人体摄取能量中占的比例很高。1996～1998 年，世界上许多发展中国家膳食总热能中淀粉食物占的比例在 70% 以上，微量元素和蛋白质量不足，膳食营养质量差（周慧秋，2005）。三是重点缺粮地区形势严峻，急需粮食援助。在世界重点缺粮地区，有 35 个国家的 6000 万人面临着粮食紧急状况，其中有 16 个国家由于严重自然灾害、内战或冲突粮食形势更为严峻，需要国际粮援，特别是阿富汗的 2500 万人口更急需国际粮食援助（丁声俊等，2003）。四是科技创新加快，技术差距加大。当今世界，经济发达国家科技创新加快，农业信息技术、生物工程、遗传科学等高新技术迅速发展，拉大了发达国家和发展中国家的技术差距。随着技术差距的扩大，发展中国家更处在竞争力薄弱的落后地位。这就是说，伴随着技术的变化和进步，没有相应的政策和制度的转变作保证，世界上因贫困而不得温饱的人群将会被进一步抛在后面。

1.2.1.2　研究的国内背景

（1）党和政府一直重视粮食生产和粮食综合生产能力问题

由于粮食供给偏紧的矛盾一直困扰着我们，我国三代领导人都一直高度关注粮食生产。新中国成立初期，针对广大人民要吃饱肚子这一问题，毛泽东同志曾严肃地指出："不能多打粮食，是没有出路的，于国于民都不利。"1957 年，毛泽东同志又进一步强调："全党一定要重视农业，农业关系国计民生极大。要注意，不抓粮食很危险，不抓粮食总有一天要天下大乱。"改革开放后，邓小平同志指出："农业要全面规划，首先要增产粮食。2000 年要生产多少粮食，人均粮食达到多少斤②才算基本过关，这要好好计算。2000 年要做到粮食基本过关，这是一项重要的战略部署。"1996 年，针对"谁来养活中国"（Lester Brown，1995）问题的争论，江泽民同志警示我们："我国这么多人口的吃饭问题只能靠自己来解决，在这个问题上不能有不切实际的幻想。"江泽民同志不但强调了农业与粮食问题的重要性，同时指出了解决这些问题的关键是靠科技；他还反复强调"中国的粮食不仅现在要靠自给，将来也要立足于自给"。

---

① 1 卡路里 = 4.1868 焦耳，后同。

② 1 斤 = 500 克，后同。

中共中央"十五"计划建议指出："要高度重视保护和提高粮食综合生产能力，建设稳定的商品粮基地，建立符合我国国情和社会主义市场经济要求的粮食安全体系，确保粮食供求基本平衡。"党的十六大报告在此基础上进一步指出："要加强农业基础地位，推进农业和农村经济结构调整，保护和提高粮食综合生产能力，健全农产品质量安全体系，增强农业的市场竞争力。"

2003年12月中央农村工作会议强调指出，要保护和提高粮食生产能力，确保粮食安全。温家宝在2003年10月国家农业和粮食工作会议上强调指出，加强对粮食主产区和对种粮农民的支持，切实保护耕地，加大投入力度，加强粮食综合生产能力建设，千方百计增加农民收入，确保国家粮食安全。

2005年中央一号文件《中共中央、国务院关于进一步加强农村工作，提高农业综合生产能力若干政策的意见》中重点强调当前和今后一个时期，要把加强农业基础设施建设，回忆农业科技进步，提高农业综合生产能力，作为一项重大而紧迫的战略任务，切实抓紧抓好。这既是确保国家粮食安全的物质基础，又是促进农民增收的必要条件，可见提高农业综合生产能力重点是提高粮食综合生产能力。

（2）耕地对粮食综合生产能力的制约作用日益明显

新的粮食安全观认为，国家粮食安全的基础是粮食生产能力的安全，因而粮食安全不是一个静态的绝对概念，而是一个动态的相对概念；这不是某一时点拥有的最大现实数量的粮食，而是一个时段内具有较强的现实与潜在的粮食综合生产能力。所以，结合我国目前的实际情况，实现我国粮食安全战略的核心不在于一两年的粮食产量增加多少、库存粮食多少，而在于保证粮食综合生产能力免遭破坏和降低，在于国家运用的粮食生产资源总量的大小（刘晓梅，2004）。

耕地资源是粮食综合生产能力的载体，没有耕地资源，粮食综合生产能力就无从谈起。根据统计调查资料分析，耕地资源对我国粮食综合生产能力的制约日益明显。我国土地总面积继俄罗斯、加拿大之后，居世界第三位，耕地总资源居世界第四位，但我国人口居世界第一位，所以人均耕地面积少，仅为世界人均耕地的1/3。

中国人口每年增加1000万左右，并且居民收入提高带来动物性食物消费的增加，需要大量地转化饲料粮，从而使得粮食总消费将不断增加。粮食安全形势会越来越严重，这是一个共同认可的判断。中国粮食产量在1998年达到5.12亿吨的高峰后，已经连续5年减产，到2003年，粮食产量下降到4.31亿吨，这种现象已经给我国的粮食安全埋下隐患。

另外，耕地由于建设用地、退耕还林、农业结构调整和灾害毁地等种种原因每年都在减少。此外，一些地方不顾客观实际，盲目设立各种开发区，大量圈占土地，造成宝贵的土地资源严重浪费。一些企业和个人未经审批，擅自与农村集体经济组织签订征地和占地协议，非法圈占集体土地。根据土地详查，1996年全国耕地面积为13 000.3万公顷，到2003年，耕地面积减少到12 330.4万公顷，净减耕地面积约为 670.4 万公顷，年均净减少约 95.77 万公顷。我国人均耕地已由 2002 年的 0.098 公顷，降为 2003 年的 0.095 公顷。加之华北和西北地区水资源严重短缺，我国未来粮食生产面临着严重的压力，保护耕地的形势相当严峻。

（3）农业结构调整，粮食面积减少

调整农业和农村经济结构，增加农民收入成为我国农业和农村经济工作的重中之重。只有稳定提高粮食综合生产能力，才能更好地促进农业和农村经济结构调整。其原因一是在结构调整中需要提高包括粮食在内的农产品质量，农产品质量的提高在很大程度上需要以数量的满足为基础，只有在数量满足的前提下才有可能更好地提高农产品质量。二是在结构调整中必然涉及耕地资源利用方式的调整，只有在稳定粮食综合生产能力的情况下才有可能使较多的粮食占用耕地改种经济作物。三是结构调整需要更多的农村劳动力向第二、三产业转移，这也需要在粮食供给能够满足消费的情况下来实现。

但是在农业结构调整的实践中，一些地方片面理解这项工作，把农业结构调整简单化为压缩粮食种植面积，不少高产稳产的良田转产为养殖业或经济作物。近几年，全国在压缩粮食播种的基础上，扩大种植效益比较高的经济作物和饲料作物。粮食播种面积由 1978 年占农作物总播种面积的 80%，下降到 1990 年占 76.5%，1995 年占 73.4%，1999 年占 72.4%，到 2000 年占 69.4%，2003 年粮食播种面积为 9941.0 万公顷，农作物总播种面积为 15 241.5 万公顷，粮食播种面积占农作物总播种面积的 65.2%，达到历史的最低点。2003 年粮食播种面积与 1978 年的 12 058.7 万公顷相比，相差 2117.7 万公顷，减少 17.6%。尽管说 2004 年受各方面因素的影响，粮食种植面积略有回升，为 10 160.6 万公顷，比 2003 年增加了 219.6 万公顷，粮食播种面积占农作物总播种面积的比例也从 2003 年的 65.2% 增加到 66.2%，增加了 1%，但也未能恢复到历史次低的 2002 年 67.2% 的水平。可以说近年我国粮食（包括豆、薯）播种面积与粮食产量减少，农业结构调整是主要原因之一。

（4）人口增加加大了对粮食的需求

我国人口在 20 世纪 50 年代初为 5.4 亿，在以后的近 30 年时间里（除 1960～1962 年 3 年困难时期人口下降外）出现人口膨胀。进入 70 年代后，国家加强计划生育，大力控制人口增长，采取了一系列政策和措施，把我国的人口控制工作带入了全新的发展阶段。全国总生育率已由 1970 年的 5.8%，下降到 1995～2000 年的 1.9% 左右，出生率和自然增长率分别由 1970 年的 33.43‰ 和 25.83‰，下降到 2001 年的 13.38‰ 和 6.95‰。我国与发达国家和发展中国家比较，处于两者之间，并同发达国家接近，已经步入低生育水平行列，实现了人口再生产类型从高出生、低死亡、高增长到低出生、低死亡、低增长的历史性转变。

但由于中国人口总量庞大，即使今后人口自然增长率控制在 10‰ 之内，每年仍将净增人口 1000 万左右。根据 1996 年 10 月国务院新闻办公室发表的《中国的粮食问题》白皮书预测，2010 年人口接近 14 亿，2030 年达到 16 亿峰值。人生下来就要吃饭，粮食向人类提供维持其生命的能量与营养，保证其繁衍生长，是世界绝大多数人的食物。因此，在自然资源有限的情况下，人口增长相应增加了粮食供应的压力。

1.2.2　研究目的

保护和提高粮食综合生产能力是解决我国粮食安全问题的必然选择，但对于粮食综合生产能力的内涵，各种文献还少有从基础性理论方面进行研究的。本书借鉴樊胜根（Fan shenggen，1991）对产出增长进行解释的一个理论框架，分析粮食综合生产能力的深层次影响因素，可以简单地把粮食产量增加[1]归结为粮食生产投入要素的增加、粮食生产技术进步[2]与粮食生产技术效率[3] 3 个方面，而其中粮食生产技术效率又主要受粮食宏观政策和自然灾害的影响。

本研究所要解决的关键问题：①粮食综合生产能力从深层次来说由粮食投入要素、粮食科技进步与粮食生产技术三个方面决定；②粮食宏观政策和自然灾害对粮食生产技术效率的影响；③我国粮食综合生产能力的现状、问题与预测；④保护和提高我国粮食综合生产能力的"一揽子"政策措施。

1.3　国内外的相关研究动态

国内外关于粮食综合生产能力的文章如汗牛充栋，但主要集中于下列几个方面：

1.3.1　关于粮食综合生产能力的影响因素

一种观点认为（王渝陵，1999），影响粮食综合生产能力的因素（或要素）主要有 5 个方面：①劳动力要素。劳动力要素从数量和质量两个方面影响粮食综合生产能力的提高。劳动力质量高低以劳动者受教育程度为衡量基准，其对粮食

---

① 粮食综合生产能力，是指一定时期的一定地区，在一定的技术条件下，由各生产要素综合投入所形成的，可以稳定地达到一定产量的粮食生产能力，粮食产量是粮食综合生产能力的表征变量，粮食产量的持续稳定增加可以认为是粮食综合生产能力的提高，这也是本节可以借鉴经济产出增长分析框架进行研究的原因。

② 技术进步有狭义和广义之分，此处是指狭义的技术进步，对此后面章节有详细的论述。

③ 技术效率是指实际产出（realized output）与潜在产出（potential output）的比。

综合生产能力的影响主要表现在：第一，文化程度高的农户择业面宽，收入来自第二、三产业的比例高。文化程度高的农户除运作自己承包的耕地外，为增加收入多向生产的深度和广度开拓，经营第二、三产业，有的农户甚至以非农产业为主兼营农业，在增加自身收益的同时也为社会创造了新的财富，间接地增加了粮食综合生产能力。第二，不同文化程度的劳动力粮食生产成本不一。文化程度越高，成本越低，收入越高，利润越多。②土地要素。从中国的土地国情看，要提高粮食生产能力，唯一的出路是提高单产。要提高粮食单产，依赖于土地要素的影响，这个影响不是土地数量的增加，而是土地质量的改善。③农田水利设施要素。水利是农业的命脉。粮食单产的提高，受农田水利设施影响极大。20 世纪 50 年代以来，中国粮食单产逐年攀升，有效灌溉面积的增加起了一定作用。④化肥施用要素。化肥是现代农业中最大的一项投入，也是增产效力最高的一项投入。但化肥在增粮的同时板结土壤的负面效应日渐突现，仅仅依靠增施化肥换取更多粮食的思路可能要付出更大的代价。⑤农机电要素。农业机械化对农村电气化是十分重要的农业生产条件，也是农业现代化的重要标志之一。一般的，电力的使用对粮食综合生产能力缺乏直接的影响力度。农业机械一定程度上减轻了农民的劳动强度，提高了农业劳动生产率，但对粮食总量增长同样缺乏直接的推动力度。

另一种观点认为（郭造强，2000），影响粮食综合生产能力的因素主要有 4 个方面：①政策性因素。实行家庭联产承包责任制、土地承包期再延长 30 年、几次大幅度提高粮食定购价格，都极大地调动了农民的生产积极性。②科技性因素。一大批先进适用技术的普及和优良品种的推广，对提高粮食单位面积产量发挥了重要作用。③基础设施建设因素。对农业的巨大投入和持续不断的农业基础设施建设，使农业抵御自然灾害的能力有了明显提高。④农业资源区划因素。农业资源区划工作发挥了巨大作用，在宏观和微观方面，为各级政府指导农业生产提供了依据，全面的农业资源普查为农业资源的合理利用奠定了基础。

刘修礼（2003）认为，粮食综合生产能力是一定地区在一定时期、一定条件下粮食生产诸要素综合作用而凝聚形成的相对稳定的整体产出能力。它由若干分力组成，从要素构成看，包括：①自然因素作用力。如气候、地貌、土质等对粮食生产对象所施加的作用力。就一定地区而言，这种作用力是相对稳定的，是培养其他能力的基础。②预防抵御能力。粮食生产过程中预防和抵御自然灾害的能力，它主要通过基础设施的完善和基建规模的扩大来实现。③物质装备能力。即武装粮食生产的能力，主要包括资金、物资、能源、动力等方面的投入能力，一定程度上反映了粮食现代化生产的水平。④劳动者生产能力。它是劳动者的体力和智力综合作用于粮食生产的一种效能反映。⑤科技应用能力。粮食生产中吸收、应用、消化新科学技术的能力。⑥配套协调能力。即粮食生产过程中生产要素本身（如人与人、物与物、技术与技术）以及要素与要素（如人与物、人与技术、人与资金、资金与技术、技术与物资）之间协同运作的能力，粮食内部以及粮食与相关产业的"前、后、左、右"的关联能力（如生产资料供应及加工转化能力）。⑦政策调控能力。它是指通过经济、行政、法律等手段调控粮食生产的能力，包括决策计划的能力、执行督查的能力、总结反馈的能力。⑧生产应变能力。粮食生产针对社会、经济、技术条件的变动而科学作出适应性调整的机动能力。

尹成杰（2005）认为粮食综合生产能力的形成，取决于各粮食生产要素的有机结合及互相作用。他认为粮食综合生产能力由多种要素构成，包括耕地供给能力、科技支撑能力，技术装备水平、农田建设水平，作物布局结构、粮食品种结构，经营行为取向、政策目标取向等基本要素。粮食综合生产能力包括：①耕地供给能力，主要是指为粮食生产提供必要的耕地面积和耕地质量。这是构成粮食综合生产能力的最基本的起决定性作用的要素。②科技支撑能力，主要是指发展粮食生产的科技研发和成果储备，以及有效的农业技术推广应用体系。这是提高粮食综合生产能力的根本支撑力量。③技术装备水平，主要是指支持粮食生产的物质技术装备水平，包括投入品、物化技术和生产手段。这是形成粮食综合生产能力的重要条件。④农田建设水平，主要是指基本农田设施建设水平，及其在粮食生产中抗御旱涝灾害的能力。这是形成粮食综合生产能力的重要物质基础。⑤作物布局结构，主要是指本着区域优势原则形成的粮食作物区域布局，以优化的粮食布局结构促进粮食综合生产能力的提高。这是形成粮食综合生产能力的重要条件。⑥粮食品种结构，主要是指根据市场需求形成优化的粮食品种种植结构。这是提高粮食综合生产能力有效性的重要条件。⑦经营行为取向，主要是指粮食生产者的经营动机，以及发展粮食生产的积极性。这是形成粮食综合生产能力的根本的内在的要素。⑧政策目标取向，主要是指对种粮农民和粮食主产区的利益保障，对粮食生产和供求关系的宏观调控。这是形成粮食综合生产能力的有力保障。

1.3.2 关于粮食综合生产能力的保护与提高

中国是一个人口大国，随着人口的增加和生活水平的提高，农产品包括粮食的需求还会逐步增加。中国农业基础设施还比较薄弱，还未摆脱靠天吃饭的局面，对此也要有清醒的认识。因此，必须按照党的十六大报告的要求，注意保护和提高粮食综合生产能力，使农产品供给能力与经济社会发展不断增加的需求相适应，在当前粮食总量平衡有余的情况下，重点是提高粮食质量效益、支持主产区搞好粮食生产、保护基本农田开发、保护农民的种粮积极性。如何保护和提高粮食综合生产能力，学者进行了多角度的探讨。

国内对粮食生产能力进行研究时均比较强调保护粮食的生产潜力。李成贵、王红春在《中国粮食安全与国际贸易》一文中指出了未来中国粮食增产的可能选择是"藏粮于仓"不如"藏粮于地"。余振国、胡小平（2003）指出一国的粮食生产能力主要由两方面决定，一是耕地数量，二是耕地质量。面临我国人增地减质降的现实，保障我国粮食安全的现实途径是提高耕地质量。胡靖（2000）指出粮食是一种同时具有一般商品和公共品属性的特殊商品，因而国家对粮食的调控重点应为巩固增加粮食生产潜力，确定准确的产量、收购数量及控制储备，并用进口来巩固国家的粮食安全。

第一种观点是从农业结构调整的角度，探讨了保护和提高粮食综合生产能力的主要对策（李道亮、傅泽田，2001）。主要体现在 8 个方面：①用现代农业技术改造传统农业，转变农业增产方式，建立适合中国国情的农业高新技术集成体系，全面提高粮食生产能力；②加强国土恢复工程建设，保护生态环境，提高耕地的转换能力；③巩固与加强农业基础设施建设，改善农业生产的基本条件，储备粮食生产能力；④努力实现种植模式合理的轮作，有效储备粮食生产能力；⑤调整种植结构，加大有比较优势农产品的生产，加强粮田的还原能力；⑥发展创汇农业，提高由于粮食生产能力储备带来的风险防范能力；⑦适度进口粮食，替代国内短缺的耕地资源和水资源，储备粮食生产能力；⑧加强粮食生产能力储备的理论和试验示范研究，寻求有中国特色的持续农业发展道路。

第二种观点（严涛，1999）从粮田休耕的角度，探讨了保护和提高粮食综合生产能力的主要对策。主要观点是：实行部分粮田休耕，解决库存积压，为粮食种植结构调整提供足够的空间。具体体现在两个方面：①首先是要制订切实可行的休耕计划，确定恰当的休耕地域。制订休耕减产计划，要本着以下原则：一要有利于消化粮食库存积压，逐步使库存下降到合理规模，既能保证中国粮食安全，又要使各方面可以承受；二是要有利于拉动粮食市场，使粮价回升到合理区间，促进粮食流通；三要保证绝大多数农民种粮收入不受影响并争取有所增长，有利于农村稳定的休耕地域，应选择在人均占有粮食较多，且粮食商品率较高，原先种植不受市场欢迎的粮种的地区。②其次是相关政策要配套。一是将减少粮食库存节省下来的政策性补贴拿出一部分作为休耕补贴；二是对已休耕粮田不再征收农业税，对有休耕计划并已落实的农户，其他统筹提留适当减免；三是在调整种植结构中，优先向这些农户提供优质良种和科技支持，使他们在未休耕的那部分粮田上取得更好的收益；四是休耕粮田的水利设施等要维护好，以便在休耕结束后发挥作用，减少复耕的成本。

第三种观点（羊绍武，1998）是从农业产业化经营的角度，探讨了保护和提高粮食综合生产能力的主要对策。主要观点是：建立农业产业化经营对粮食综合生产能力的补偿机制，实现农业产业化经营与粮食综合生产能力之间的良性循环。该观点认为，在耕地减少、人口增加的总趋势不变的情况下，要在农业产业化经营的进程中实现增产与增收两大目标，必须提高单位面积的粮食生产能力。可行的选择是：应当在农业产业化经营和粮食生产之间建立起一个补偿机制，以实现农业产业化经营与粮食生产能力提高之间的良性循环。

第四种观点（封志明、李香莲，2000）从耕地与粮食安全战略的角度，探讨了保护和提高粮食综合生产能力的主要对策。该观点认为，以耕地资源安全为核心的粮食安全问题是关系中华民族生存与发展的根本问题。在世界粮食生产徘徊不前、国家经济实力不够强、耕地后备资源有限、粮食生产面临人民生活水平普遍提高和人口日益增长双重压力的情况下，实施"藏粮于土"计划，提高中国土地资源的综合生产能力，理应成为中国耕地与粮食安全战略的长期选择。具体包括5个方面：一是强化土地用途管制，切实保护耕地，建立国家级耕地保护区；二是合理开发利用荒地、实施土地整理工程，提高土地资源利用率；三是建设基本农田，配套基础设施，提高土地资源生产效率；四是建立小区平衡机制，实施区域化专门化生产，提高区域农业资源配置效率；五是立足全部国土，广辟食物来源，全面提高土地资源的综合生产能力。

另外，对于粮食综合生产能力的保护和提高，游建章（2001）认为应从这几个方面来解决：①提高用水效率，改变用水结构。我国农业当前最主要的约束是水而不是土地。由于缺乏降水，北部大部分农田耕作潜力无法发挥。在大约3000万平方公里的土地储备中，有些地块只要能灌溉就可能利用。因此，我国各级政府应重视水问题。这包括在缺水区增加水供给，改善水质和废水治理，以及着重提高灌溉效率。有关专家已指出露天灌溉渠道和漫灌地的水浪费问题，估计有60%以上的水流失。这对受干旱影响的华北平原来说是十分富贵的水资源。这靠加强灌溉基础设施维修和更先进的灌溉技术就可以在短期内得到改善。②创新土地制度，加大农场规模。我国农场规模小已经成为阻止农业进一步现代化的一个重要因素。我国的家庭农场通常很小，无法发挥规模经济。因此，要着力培养土地市场，建立乡村土地托管机构，规范土地转让。这样便可使已从乡村非农产业劳务中获得主要收入的小农户可以将他们的土地转让给更大的、生产率更高的种粮专业户，而这将促进我国农场结构调整，提高生产率。③必须突破交通运输基础设施、技术和服务的"瓶颈"约束。我国运输基础设施的缺乏、运输技术的落后以及不发达的服务体系是粮食部门发展的严重"瓶颈"，特别是港口吞吐能力、铁路负荷过重，以及偏远地区公路缺乏。在这种条件下，容易发生地域性的粮食短缺危机。④必须加强防洪措施。洪水对我国粮食安全构成严重威胁。1988~1995年，由于灾害主要是洪灾，我国已流失大约85.6万公顷农田。我国大约有3.3万个中型和小型水坝、池塘亟须维修、加固、保养。

刘修礼（2003）认为提高粮食综合生产能力，应该从以下几个方面入手：一是增加物质投入，强化粮食生产的发展后劲；二是完善水利设施，增强粮食生产的抵御能力；三是加快技术进步，提升粮食生产的科技含量；四是改善品质、调整结构、提高粮食生产适应的能力；五是重视加工转化，提高粮食生产的关联力度。

李文学（2004）认为，提高粮食综合生产能力，战略选择是通过资源的调整和重新配置，达到提升现有资源的产出率，开发新的增产资源。具体措施：一是保护好、利用好现有耕地，提高复种指数，以面积来保证产量的增加。二是增加粮食生产的基础设施投入，改善生产条件，提高抗御自然灾害的能力。三是走以科技兴粮的道路，其中包括加大农业新技术的科研和推广力度，让科研成果转化为现实的生产力；抓紧品种改良，加快粮食生产良种化的进程；培训农民，用劳动者技术素质的提高来确保科技兴粮各项措施的落实。四是健全粮食生产的社会化服务体系，发育粮食产业中介组织，解决粮农在产前、产中、产后所遇到的实际困难。五是稳定并不断完善现有的支持和发展粮食生产的各项政策，保护和调动农民种粮和地方抓粮的积极性，创造有利于发展粮食经济的社会环境。这五项措施的核心，当务之急是调整国民收入分配结构，增加对粮食生产的投入，从根本上扭转种粮吃亏的被动局面，让粮食生产的主体——农民去自觉自愿地发展粮食生产。

1.3.3　提高粮食生产能力[①]的途径

（1）强调土地制度

不同土地制度会产生不同的成本－收益预期，影响农户的投资行为以及土地交易中的交易费用和土地使用中的监督成本，进而影响粮食生产。林毅夫（1994a）认为，家庭联产承包责任制解决了监督和激励问题，中国 1978～1984年的粮食产量增加，有 46.89% 来自家庭联产承包责任制带来的生产率的提高。姚洋（2000）给出了一个中国农地制度的分析框架，周天勇（2003）、钱忠好（2003）研究了我国土地供求冲突的特征、成因、效应及政策安排等问题。

（2）强调物质投入

有学者认为我国粮食生产采取的是依靠物质或劳动投入增加的"粗放型"方式，按照边际收益递减规律，粮食增产将面临能否持续的问题。严瑞珍、程漱兰（2001）测算了 1991～1998 年粮食生产的要素贡献率，认为影响最大的是各类有形要素的投入。马晓河、崔红志（2002）也表明，在 1952～1978 年和 1978～1997 年

---

① 此处的粮食生产能力与前面所提到的粮食综合生产能力的意义是不同的，前面的粮食综合生产能力是指一定时期的一定地区，在一定的技术条件下，由各生产要素综合投入所形成的，可以稳定地达到一定产量的粮食生产能力，而此处的粮食生产能力尽管学者没有对之作详细的定义，但就笔者理解，应该是指粮食的生产潜力。

两个阶段中，物质投入对农业总产值的弹性由 0. 78 上升到 0. 85。

（3）强调技术进步

Fan（2000）指出，以往的研究高估了制度变迁对中国农业产出的贡献，事实上技术研发、灌溉、教育是农业增长的主要动力，上述观点能得到相关研究的支持，黄季焜和 S. Rozelle（1998）通过建立农作物生产供给模型，证实了技术在农业发展中至关重要。

（4）强调信贷投资

粮食增产需要追加投资，投资来源于政府和农户。杨明洪（2000）指出，1978 年以来，农户投资占农业投入总量的 40% ~ 60%，农户的投资能力和倾向对粮食生产的影响很大。郭敏和屈艳芳（2002）指出，农户收入、土地收益、农户投资与农业贷款的可得性之间存在正相关关系。此类观点也可得到其他研究的支持，S. Holden 和 B. Shiferaw（2004）认为，维护针对化肥等的农业借贷体系，极大地增加了埃塞俄比亚的粮食产出。

（5）强调生产规模

一些学者认为我国粮食生产的规模过小，应通过规模扩大来提高生产能力。胡鞍钢、吴群刚（2001）将企业化看成是农业现代化的一个途径，在此过程中粮食生产的规模化也应得以推进。规模化意味着要改变农户分散式的经营方式，张晓山（2002）认为，中介组织的发育对于联结农户与市场起着决定性的作用，可以提高农民的利益表达和市场谈判能力。

（6）强调政府支持

从实践来看，我国的粮价保护制实施效果并不理想，而且加入世界贸易组织后价格支持的难度也在增大，为此，政府逐渐转向对粮农的直接补贴。张照新等（2003）认为直接补贴起到了稳定粮食购销、搞活粮食流通和保护农民利益的效果，但还存在着一些问题。赵德余和顾海英（2004）认为，当前的粮食直补政策体现了地方试验性，在推行这项政策时，多数地方的首要目标是促进粮食增产，其次是增加粮农收入。

国内各个专家都是从某一个角度还论述提高粮食综合生产能力的，但正如前面所述，粮食生产系统是一个复杂的巨系统，粮食综合生产能力受各种因素的共同影响，因此，提高粮食综合生产能力的政策措施也必然是系统的、综合的。

1.3.4　国外研究动态

国外没有与中国相对应的粮食综合生产能力概念，但是各国对于提高粮食产量、保护和提高粮食综合生产能力的做法是相通的。

各国政府和专家都非常重视研究如何提高粮食综合生产能力。1940 年，美国率先实现了以机械化为主的现代化。20世纪60年代前后，欧洲国家、日本等发达国家也相继实现了农业现代化，又经过半个多世纪，现在农业综合生产能力很强。美国是世界最大的粮食出口国，约占世界的40%，美国、加拿大、法国、澳大利亚、阿根廷合计粮食出口量约占世界的75%左右。发展中国家农业发展相对滞后，但是经过60年代开展绿色革命以后，粮食种植面积不断扩大，粮食产量提高很快，特别在亚洲、拉丁美洲取得了可喜的成绩，其特点是广泛推广良种、化肥、农药、大量灌溉、地膜利用、复种指数等提高生产能力的措施。如印度、泰国、越南到了90年代已成为粮食出口国。到1996年，世界谷物总产量达到207亿吨，比1951年675亿吨增加2倍多，年增长率为27%，谷物单产也由1951年的1170千克/公顷，增加到2830千克/公顷，年增长率约为30%。现在世界各国都在重视粮食安全，如美国是世界上人均耕地多，农业现代化程度高，谷物产量很高，在2002年农业法案上还要宣布大幅度提高农业补贴、科技投入等。欧洲联盟（欧盟）对农民推行"黄箱"补贴，干预价格及加大科研投入等。美国、日本、欧盟国家等发达国家通过加大研究推广新品种、加大农业科研经费等措施，改善农民生产条件、降低粮食生产成本、提高种粮经济效益，而且日本在逐年提高粮食自给力。联合国粮食及农业组织也对发展中国家采取许多重大政策措施。

Helig等通过一个农业气象模型对灌溉和雨养条件下中国最大的粮食生产能力进行估计的结论是，在中国南方和东北地区，不灌溉也能生产数量巨大的粮食。在当时的技术水平下，不灌溉中国最大也能生产4.92亿吨粮食。如果增加灌溉，中国可以生产6.72亿吨粮食。灌溉在中国粮食生产中的贡献只占30%左右。

从研究角度看：探讨了发展中国家提高粮食综合生产能力的途径。Heidy指出发展中国家提高粮食产量的主要方法有4种：一是提高技术，主要包括品种、化肥、杀虫剂等；二是更加集约利用土地，提高复种指数；三是扩大耕地面积；四是减少收获后的损失，每年粮食由于散落、损坏、被鸟类和鼠类吃掉的就占15%～33%。

世界粮食专家认为，为保障发展中国家实现粮食安全、提高粮食综合生产能力需要在如下关键领域进行投资：水利、农村道路、农业科研、清洁水供给和教育。据统计，1997年发展中国家在这5大领域共投入414亿美元，占总开支的1.5%。如继续维持这个水平，预计到2020年5大领域的投入应占总开支的1.0%～3.0%。到2015年，发展中国家每年农业所需总投资为1804亿美元。其中，包括粮食等农产品储藏、加工和基础设施等。具体而言，初级农业为933亿美元，储藏与加工为417亿美元，基础设施为400亿美元（周慧秋，2005）。

1.3.5　对前面研究的简单述评

现有文献大多是一般性描述和对策性研究，存在着理论研究与实证分析的"不对称"，这可能是因为理论"供给不足"，也可能是由于不考虑理论似乎也能说明一些问题，所以对理论需求的"激励"不够（高帆，2005）。对此，需要澄清两个问题：第一，研究粮食综合生产能力问题是否需要理论？第二，如果需要那么是怎样的理论？对第一个问题的回答是肯定的，如果没有理论，人们的理解将处在较浅的层次，经常出现"公说公有理、婆说婆有理"的无谓争论，政策也不能摆脱"头痛医头、脚痛医脚"的既定模式。对第二个问题，答案是，粮食综合生产能力是一种在粮食供不应求时迅速转化为现实粮食产量的能力，是一种可以随粮食供求调控粮食产量的机制。因此，立足于粮食投入要素的稳步增加和粮食生产效率的提高可以寻找到保护和提高我国粮食综合生产能力进而解决我国粮食安全问题的答案。

现有文献往往是分散地讨论问题，而忽视了对象的系统特征。"分散性"体现在：①现有文献通常没有结合中国转轨和发展的背景，前提假设、分析结论与现实存在着较大距离。②众多粮食综合生产能力研究者从各自的分析出发，提出影响中国粮食综合生产能力的种种因素，而没有办法把所有影响因素纳入一个统一的分析框架之下，这就形成了各人所说的好像都有道理但又都不太全面的问题，当前研究是分散的"不同片段"，不是能够描述粮食综合生产能力不同方面的"完整的图景"。在这种情况下，研究者对问题的解释很难获得大家一致的认可。

现有研究是广泛的，但不是深刻的，分析的视角和内容比较单一，未充分注意不同部分的关联性。原因是：粮食综合生产能力很容易被看成实证性问题，这导致了研究从实证角度出发，没有考虑现象背后的深层次原因；同时也缺乏对粮食综合生产能力影响因素定量化的研究。例如，尽管对粮食政策是影响粮食综合生产能力重要因素这点上各位研究者没有异议，但是对粮食政策变革的政治经济学研究以及生产组织变迁的经验分析还十分不足，因此公共政策往往先验地存在某些缺陷，其实施效果也就不言而喻了。

总的说来，从文献上看，目前国内对此问题的研究还存在着一般性描述和对策性的研究多，而对基础性理论研究少；定性研究多、定量研究少；宏观层面研究多而微观层面研究少的现象。这为本研究提供了今后的研究思路。因此，本研究将在前人研究的基础上，将粮食综合生产能力的相关理论和实证研究结合起来，运用计量经济方法，对粮食综合生产能力的影响因素及政策（制度）、科技进步和自然灾害对粮食综合生产能力的影响进行系统的研究。

1.4　研究思路、框架与创新点

1.4.1　研究思路

本书的研究意义在于根据我国粮食供求形势的变化、人口增长与土地矛盾及进一步深化以市场导向的粮食市场改革，选择保护和提高我国粮食综合生产能力的战略，以最小化成本长远解决我国的粮食安全问题。本论文的研究内容在"2131"框架内展开：

2 个基本假定：粮食综合生产能力是公共物品及保护和提高我国粮食综合生产能力是解决我国粮食安全的必然选择。

1 个理论分析框架：粮食产出的增加包括粮食生产要素投入的增长、粮食技术进步（粮食生产函数前沿面的移动）和粮食生产技术效率（粮食实际产出与潜在产出的比例），粮食综合生产能力的提高可以由这三个方面的任何一个方面的提高所引起。粮食生产投入要素转化为现实粮食产量的能力可以认为是粮食的生产效率，这种粮食生产效率与粮食投入要素的结合就构成了粮食综合生产能力。

3 个影响因素：粮食生产效率受技术进步、自然灾害和宏观粮食政策的影响。

"一揽子"政策措施：粮食综合生产能力受多方面因素的影响，因此保护和提高我国粮食综合生产能力的措施也必将是系统的、全面的。

1.4.2　研究技术路线

研究的技术路线展开如图 1-1 所示。

1.4.3　本书结构

基于以上思路，本论文包括导论在内共 8 章，各章节内容安排如下：

第 1 章，主要是提出研究的问题、介绍选题背景，分析国内外粮食生产综合生产能力的研究现状，指出其可供借鉴和不足之处。在此基础上明确研究意义、目标、思路及研究方法、研究技术路线等，指出本论文的可能创新点。

第 2 章，对粮食、粮食安全和粮食综合生产能力的概念作了准确界定，使研究对象更为清晰明确；参照樊胜根分析经济增长的一篇经典文章，给出一个粮食综合生产能力的理论分析框架，本论文的主要内容都在此理论分析框架内展开。

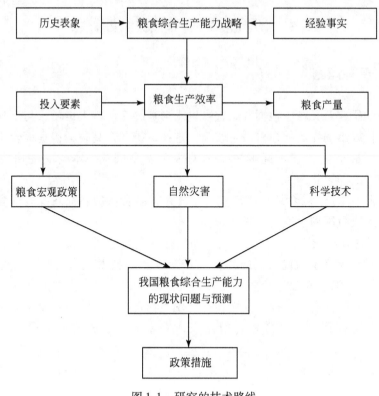

图 1-1 研究的技术路线

第 3 章，粮食综合生产能力的提高，除去粮食生产投入要素的增加，其余部分全部蕴涵于粮食全要素生产率（total factor productivity，TFP）的提高。该章运用数据包络分析（DEA）计算全国 30 个省 1994～1999 年、1999～2004 年 2 个时间段粮食生产的全要素生产率，判断中国粮食综合生产能力的提高状况，并证明各省在粮食生产全要素生产率上存在绝对 β 收敛。

第 4 章，介绍科技进步（狭义）在粮食生产中的作用、我国科技现状及存在问题，给出保护和提高我国粮食综合生产能力的科技对策。

第 5 章，运用 C-D 生产函数测度制度（政策）对粮食综合生产能力的贡献，引入粮食供给反应函数论证粮食宏观政策对粮食生产的影响机制，并以粮食直接补贴政策为例说明在粮食政策构建时应该注意的问题。

第 6 章，运用 Pearson 相关系数指出自然灾害的确对粮食综合生产能力有重要影响，并运用多元回归模型定量测定自然灾害对粮食综合生产能力的影响程度。

第 7 章，分析我国粮食综合生产能力的现状、问题，用灰预测 GM（1，1）模型预测未来年份我国粮食综合生产能力的大小，为我国粮食综合生产能力的保护和提高提供感性认识。

第8章，在前述分析的基础上，给出提高和保护我国粮食综合生产能力的"一揽子"政策措施。

1.4.4 创新

关于粮食问题研究的文献浩如烟海，这一方面为本书对中国粮食综合生产能力的研究提供了丰富的资料和借鉴的思路，另一方面也使本论文囿于前人的研究范式而难以突破和创新。因此，本书试图在吸取前人研究精华基础上从理论体系和方法论两方面有所突破和创新。

理论创新：

1）从理论方面论证了粮食综合生产能力的公共产品性质，国家为了维护粮食安全和国民的粮食供应，应该加大投入、创新制度以保护和提高粮食综合生产能力。

2）构建一个粮食综合生产能力的分析框架，将影响粮食综合生产能力的各种因素纳入此统一的理论分析框架内。

3）剖析粮食综合生产能力的内涵、特征，指出粮食综合生产能力其实质是各种投入可以转化为现实粮食产量的能力，很大程度上表现为粮食生产的效率。

4）作为粮食生产的效率，科学技术、宏观粮食政策及自然灾害对粮食综合生产能力有着重大的影响。前人在粮食综合生产能力影响因素研究中，要么定性分析，要么过多地将影响因素限定在投入方面，本书尝试突破此范式，对影响粮食生产效率的三大影响因素，运用定性与定量分析相结合的方法进行分析，并取得一定成果。

方法创新：

1）运用 DEA 方法测算 1994~1999 年、1999~2004 年两个时间段我国 30 个省粮食的全要素生产率，证明我国粮食全要素生产率存在绝对 β 收敛过程。

2）运用多元回归模型测度粮食宏观政策对粮食综合生产能力的贡献，并运用那拉维（Nerlove）供给反应函数探讨中国粮食生产对政策（主要是粮食价格和生产资料价格）的反应机制。

3）运用 Pearson 相关性分析方法分析自然灾害对粮食综合生产能力的影响，并建立一个自然灾害对粮食综合生产能力影响的多元回归模型。

第 2 章
概念界定、理论基础和分析框架

2.1 基本概念界定

2.1.1 粮食概念

粮食的内涵随着社会和经济的发展而不断变化和发展，并且具有很强的地域特征，即由于种族、消费习惯以及气候条件的不同，对粮食有不同的解释。

2.1.1.1 传统的粮食概念

在我国把粮食定义为：可供食用的谷物、豆类和薯类的统称。谷物类，是指禾本科粮食作物的子实，主要有小麦、稻谷、玉米、高粱、大麦、燕麦等，也包括属于蓼科的荞麦。豆类，是豆科作物的种子，如大豆、绿豆、蚕豆、豌豆、小豆等。薯类，包括甘薯、马铃薯、木薯等生物的块根、块茎以及用其制成的薯干，可作为人类食物、家畜饲料和轻工业原料。在我国，粮食概念有广义和狭义两种概念。狭义的粮食概念主要指谷物类，相当于英文中 grain 一词的含义，即西方类似的提法是指谷物，不包括豆类和薯类。可见，在粮食的概念上，东西方存在一定差异。广义的粮食概念源自于粮食统计，新中国成立初期，由于当时人均谷物产量很低，为确保全社会人人有饭吃的低水平"粮食安全"，满足人们的基本生活需要，自 1953 年起的粮食统计中，就不仅有传统的谷物类，还包括豆类和薯类，即农业的各种粮食作物和粮食部门经营的全部品种。

2.1.1.2 外延更广的粮食概念

日本粮食专家根岸郎认为粮食是"生命资源"和"经济资源"；中国科学院植物研究所侯学煜教授于 1981 年在《人民日报》撰文"如何看待粮食增产问题"，认为以往单纯地抓种植业、抓谷物类粮食，不仅解决不了粮食问题，而且会导致生态环境的破坏。故主张在经营好现有耕地的同时，必须充分利用山林、水面、草原的丰富资源，广辟食物来源，从而提出了"大粮食"概念，即"凡是能吃并为人体提供所需营养的物质都是粮食"。其后的张圣兵（2001）等则从生物和医学角度，发展了"大粮食"概念，他们认为：谷物、豆类和薯类，以及一切能维系人类生命、保证肌体正常发育、补充营养消耗的各种动植物产品、养料和滋补品等统称为"粮食"。虽然他们以更宽的视角把粮食和已经国际化的"食物"概念捆绑起来，但这种处理没有使他们的"大粮食"概念在经济学理论和实践操作中变得更加经济有效。张圣兵本人在有关"大粮食"供求均衡的尝试性分析研究中，其"大粮食"概念的应用似乎并不理想。

但这种观点在此后的时间内得到了越来越多的组织与个人的认可，并对发展我国农业多种经营与结构调整起到了重要指导作用。"大粮食"概念的提出为确保我国粮食安全提供了一种新的思路，发展粮食生产可以广开渠道。

2.1.1.3 联合国粮食及农业组织的粮食概念

联合国粮食及农业组织（Food and Agriculture Organization of the United Nations, FAO）出版的生产年鉴所列的 Food 产品目录包括 8 大类，分别是：①谷物类；②块根与块茎类；③豆类；④油籽、油果和油仁作物；⑤蔬菜和瓜类；⑥糖料作物；⑦水果、浆果；⑧家畜、家禽、畜产品。FAO 的粮食概念是指谷物，包括小麦、粗粮（coarse grain）、稻谷，其中，粗粮包括玉米、大麦、高粱等。可见，FAO 的粮食概念与我国传统的狭义粮食概念基本一致，这也是国际通用的粮食（grain）概念，与我国普遍流行的粮食概念（广义的粮食）是有一定出入的。因此，在比较中国与世界粮食总产量时，应将我国广义的粮食总产量中所含的豆类和薯类剔除掉[①]，这样才能与 FAO 每年所公布的世界谷物总产量的统计口径一致（肖春阳等，2002）。

2.1.1.4 其他国家粮食概念

美国关于粮食的概念是很广泛的，包括小麦、玉米、高粱、大麦、稻谷、燕麦、黑麦及其他杂粮。根据政府相关法律，美国政府对小麦、玉米、高粱、大麦、稻谷、燕麦、黑麦 7 种主要粮食制定支持价格，进行宏观调控与重点管理。大豆和薯类不计入粮食。

法国的粮食生产以饲料粮为主，大麦、玉米和小麦是其三大主要粮食品种，另外还包括高粱、黑麦和燕麦。薯类不计入粮食。

澳大利亚的主要粮食品种是小麦，此外还包括大麦、燕麦、稻谷等。小麦是唯一在联邦政府管辖之下的粮食作物。日本《粮食管理法施行令》中规定粮食

---

①　由于历史原因，国家统计局从 1953 年起就采用了广义的粮食概念，为了和国际接轨，自 20 世纪 90 年代起，其公布我国粮食总产量时另列了谷物总产量，以示区别。

为：米谷、大麦、裸麦、小麦；米谷粉、小麦粉、黏米、进口的淀粉；以米谷粉或小麦粉为原料加工制作的面食等。

综上所述，联合国及世界各国关于粮食概念的界定有以下特点：第一，粮食概念基本上包括了一国生产和消费的主要粮食品种；第二，从粮食流通管理出发，各国对粮食概念的界定侧重不同；第三，随着人们消费习惯，以及经济发展水平等因素的变化，粮食概念是不断变化的。

本研究中所涉及的粮食，采用的是广义的粮食概念。在具体研究中，为了研究和统计上的方便，在研究粮食总量时指的是谷物（稻谷、小麦、玉米）、豆类、薯类。

2.1.2 粮食综合生产能力

粮食综合生产能力，是指一定时期的一定地区，在一定的技术条件下，由各生产要素综合投入所形成的，可以稳定地达到一定产量的粮食生产能力（姜爱林，2004），这是目前对粮食综合生产能力较为权威的解释。

人们使用工具来创造各种生产资料和生活资料的过程，称其为生产；将生产的过程可能达到的极限总量，称其为生产能力；所谓综合，是指多种因素同时有所作用。出于对粮食生产是"自然再生产与经济再生产的统一"，粮食生产受资源、气候、气象、生态、环境等因素制约明显的理性认识，给出了"综合生产能力"的命题。粮食综合生产能力由投入和产出两方面的因素构成，由耕地、资本、劳动力、科学技术等要素的投入能力所决定，由年度的粮食总产量所表现。生产要素的投入是粮食产出的基础；粮食产出是生产要素投入的成果，这种由投入要素决定，由产出水平表现的粮食投入产出规模和效能，就是粮食的综合生产能力。粮食综合生产能力，是个理论概念，它的表征结果——总产出，总是小于其理论数值。其根源在于这种"能力"是拟定气候、气象等自然因素处于一般状态下的计算，而实际上自然要素的制约年际间变化幅度较大，综合生产能力这个理论数值很难达到极限。同时，综合生产能力的实现也与人们的生产结构选择和决策有关。试想，中国北方有"旱谷涝豆"的民谚，旱年增谷，涝年增豆，如果旱年种豆、涝年种谷，综合生产能力的实现就会大打折扣。因此，我们应该说粮食综合生产能力与其转换效率有关，这个"转换效率"就是"综合"的一个标志（李文学，2004）。

粮食综合生产能力的提出，具有两方面的新意（庞增安，2004），一是从粮食生产的产出方面，侧重了生产"能力"，突出了"能力重于产量"的理念；二是从粮食生产的投入方面，强调了"综合"生产能力，构建了"能力大于产量"的机制。从侧重生产"能力"方面来说，它突出了粮食生产的可持续发展能力。粮食生产的可持续发展能力不仅是粮食产量实现一定指标的现实表现，而更重要的是持续地、稳定地达到一定产量的产出能力。在这个意义上说，这是一种潜在的、厚积薄发的能力。即当粮食供大于求，出现过剩局面时，或者国家政策需要调减粮食产量时，这种能力就会储存和蓄积起来，而不是靠削减或损伤这种能力来降低粮食产量；反之当粮食供不应求，出现短缺局面时，或者国家政策需要增加粮食产量时，这种能力就会及时地释放或表现出来。可见，生产"能力"是能够对粮食需求作出积极的、迅速的反应能力，是能够积极地回应国家粮食政策调控的能力。这样，粮食生产能力的最佳状态是，根据供求关系变化和国家政策调整，粮食产量是一个不断变化和可以调控的量。同时，粮食生产能力是一个稳步提升的量，它在不断增长过程得到涵养、储存、蓄积和释放，表现为一种持续发展的态势。这就要求树立和强化"能力重于产量"的观念。

现代意义的粮食生产能力是建立在耕地保护能力、生产技术水平、政策保障能力、科技服务能力和抵御自然灾害能力的整合基础之上的，是耕地、资本、劳动力和技术等要素投入能力的合力推动的结果。因此，强调"综合"生产能力，主旨在于建立"能力大于产量"的机制。只有形成一套有利于这些要素投入的机制，并提高这些要素转化为粮食产量的效率，才能实现保护和提高粮食综合生产能力的目标。

对于粮食综合生产能力的特点，周慧秋（2005）进行了系统的论述：

2.1.2.1 从要素投入看粮食综合生产能力的特点

第一，粮食综合生产能力由多种要素构成，是多种要素相互作用的结果，仅有单一生产要素的投入无法实现粮食综合生产能力。而且在粮食生产过程中多种要素相互制约、互相作用，不断地进行有效的组合和匹配。当然各个要素在粮食综合生产能力形成过程中的作用不同，某一要素的变化，都可影响和制约其他要素的作用，进而影响当年的粮食产量。单一的要素投入在一定条件下可以增加粮食产量，但它既不适应现代农业发展的要求，也无法形成稳定的、可持续的粮食生产能力，并且，仅靠这种单一要素的投入，有时会破坏现有的粮食生产能力，通过综合投入要素，即通过化肥、种子、农业机械、灌溉、管理要素的综合投入，获得可持续的粮食生产能力（庞增安，2004）。

第二，投入要素所获得的社会效益大于直接经济效益。由粮食生产的特点决定，对粮食生产投入的比较利益相应的低于其他产业部门（庞增安，2004）。在粮食生产中，耕地、资本、劳动力和科技的投入属于基础性投入，其效益具有潜在性、滞后性和长期性。例如，在工业化过程中，非农用地和农业用地的"争地"现象是难以避免的，如果仅从直接经济效益和比较利益上说，非农用地显然优于种粮用地。对农业的科技投入，尤其是对农业基础科学研究，所带来的农业生产技术水平和科技服务能力的增强，其效益也是循序渐进的。对农业基础设施的投入所形成的抵御自然灾害的能力，从近期说，是投入远大于产出，从长远看，社会效益包括经济效益是巨大的和持续的。

第三，对粮食综合生产能力要素破坏的影响是长期的。恢复和提高这种要素的能力所付出的代价是巨大的，有的要素能力的丧失将是无法恢复的（庞增安，2004）。恩格斯在一百多年前就警告人们："不要过分陶醉于我们对于自然界的胜利。"他以美索不达米亚、希腊、小亚细亚等地毁坏森林、开垦荒地的历史教训为例，指出："对于每一次这样的胜利，自然界都报复了我们。"如在计划经济年代，耕地保护能力作为一个生产要素，由于过度垦殖，造成的耕地沙化、荒漠化，今天通过环境的治理和保护恢复地力所付出的代价是十分昂贵的。

第四，粮食综合生产能力形成要素配置的运行态势具有二重性。在粮食综合生产能力的要素配置上，既有良性运行的态势，也有恶性运行的态势，两种态势表现出此消彼长的运行过程（庞增安，2004）。一方面，世界各国普遍认识到在新世纪、新阶段发展粮食生产的重要性和特殊性，因此在实践上很多国家均加大了耕地、资本、劳动力和科学技术等生产要素的投入力度，并根据本国粮食生产的资源特点，积极构建适应时代要求的耕地、资本、劳动力和科学技术要素的投入机制，使粮食综合生产能力要素运行呈良性的运行态势；另一方面，各国生产力水平差异较大，受体制和政策等多重因素的影响，在粮食综合生产能力要素配置上，某些国家粮食综合生产能力要素运行也存在一定的恶性的运行态势。

2.1.2.2 从产出看粮食综合生产能力的特点

第一，粮食综合生产能力应相对稳定，它表明对投入与产出关系的一种相对恒定，而不是凭一两年的丰收产量就确定为粮食综合生产能力的大小。这个稳定根据一定区域近期粮食发展轨迹，应是五年左右的平均稳定，没有大的起落。因为农业是全开放系统，根据我国目前生产力发展水平，仍受自然影响较大，粮食产量每年上下浮动在一定幅度内，仍应看作是一种动态的稳定，不影响总体能力的变化。因此，评估一个地区的粮食综合生产能力，需要连续几年相对稳定的产量。

第二，粮食综合生产能力，既是整体的能力，又是单位产出的能力。总体能力是总的产出、总的能力，代表一个总量，但它不能表明单位产出的大小，无法进行相对比较。单位产出是等量的产出能力，使不同区域之间可以相对比较，有可比性，也可能看出效益的大小，理想的综合生产能力应是这两种能力的有机统一。

第三，粮食综合生产能力是动态变化的。粮食综合生产能力既表现为一定的粮食产量，又包含一定的粮食产出潜力，当期还没有发挥作用的生产能力，是一种潜能。无论粮食生产的诸要素，还是粮食产前、产中、产后各过程，都蕴藏着大量的潜在生产能力。由于各构成要素的作用不可能同时得到发挥，当期粮食产量一般要低于粮食综合生产能力（尹成杰，2005）。

第四，粮食综合生产能力的提高是一个缓慢的过程，很不稳固，易降不易升。某一地区的粮食综合生产能力，如果某一构成要素发生不利变化，极易造成粮食综合生产能力的降低和丧失（尹成杰，2005）。一个地区粮食综合生产能力的阶段性跨越，取决于该地区构成粮食综合生产能力的某个或多个要素的阶段性突破。粮食综合生产能力的阶段性提高，一般需要几年或更长时间。

第五，如何评估粮食综合生产能力的大小。我们采用"评估"这个词，这是因为对粮食综合生产能力不可能计算得太精确，只能评估一个大致的能力。工业生产只要投入稳定增长，产出就稳定增长。而农业生产投入稳定增长，产出不一定就稳定增长，还有可能下降，因为它受自然因素影响较大，有些非人力所能抗拒的，因此，对粮食综合生产能力的大小，只宜评估。

但是，前述对于粮食综合生产能力的定义也存在商榷之处。笔者借鉴其他学者（梁荣，2005）对农业综合生产能力的质疑，认为对这个粮食综合生产能力的理解存在三个问题：其一，如何理解"地区"的含义。按照《现代汉语词典》的定义，地区是指较大范围的地方，如湖北西部地区；地区又是指中国省、自治区设立的行政区域；地区也是指没有获得独立的殖民地以及托管地等。显然，按这三个解析，"一定地区"是不能包括一个国家，而粮食综合生产能力不仅是对一定地区来说的，更重要的是对一个国家而言的。其二，"一定经济技术条件"是不够全面的。例如，制度要素是一个非常重要的条件，只有"一定经济技术条件"，没有制度要素等条件就难以形成粮食综合生产能力，不同的制度供给会产生不同的粮食综合生产能力，如粮食保护价收购和粮食直接补贴就会使粮食综合生产能力有显著的不同。其三，"各生产要素"与"一定技术条件"是同义语的反复。粮食生产诸要素包括资本、技术、劳动力、生产资料、土地等；"一定技术条件"又是一定资本、技术、土地约束下的生产，这是同义语的反复。但是，要想找出一个可以准确界定粮食综合生产能力的真正内涵、同时为学者和政府人士所认可的粮食综合生产能力的概念还有很大困难，因此，本论文暂且使用上述关于粮食综合生产能力的定义。

2.2　粮食综合生产能力的公共物品性

2.2.1　公共物品的内涵

"公共物品"作为经济学的一个专业术语是美国现代著名经济学家保罗·萨

缪尔森（Paul Samuelson）1954 年在其《公共消费理论》（*The Pure Theory of Public Expenditure*）一文中提出来的。这一概念的提出不仅对现代公共经济学理论的发展具有开拓性意义，而且对我们进一步认识市场在社会经济生活中的局限性、科学界定政府职能具有重要意义。

所谓公共物品，从所属关系上讲是相对私人物品而言的，其根本特征在于它的公共属性。"萨缪尔森发展了有关'公共物品'的分析性定义，他把'公共物品'与'私人物品'明确区分开来，并结合到关于市场失灵的理论中"（乔治·恩德勒，2002）。萨缪尔森的公共物品学说的核心在于，按照新古典模式通常的假定，市场不能生产充分而纯粹的公共物品。所以，就公共物品而言，市场失灵是不可避免的。在此基础上，美国当代著名经济伦理学家乔治·恩德勒（2002）在其《面向行动的经济伦理学》（*Action-oriented Business Ethics*）一书中提出，"甚至可更广义地理解公共物品，即把它理解为社会和个人生活及追求经济活动的可能性的条件。"尽管萨缪尔森和恩德勒对公共物品在理论上进行了较为广泛和深入的研究，但我们不难看出，他们对公共物品的研究主要集中在经济领域。公共物品作为一种特殊形式的社会存在，涉及社会的各个领域和人们生活的方方面面，是整个人类社会赖以存在和发展的基础。对这样一个有着特殊意义的物品的认识和研究，仅仅停留在某一个领域是远远不够的（卢先明，2005）。

公共物品是什么？用于满足社会公共需要的物品称之为公共物品。公共物品具有三个明显的特征：效用的不可分割性、消费的非竞争性和受益的非排他性（高培勇、崔军，2001）。西方经济理论认为，在市场经济体制下，利益最大化的私人竞争机制占据主导地位，以至于具有外部效应的公共物品无法有效地由私人提供，只能由各级政府参与进行提供。政府的最重要的职责是供应公共物品。国家作为共同利益的保证人，其作用是弥补市场经济的缺陷，纠正市场失灵。

公共物品的两重属性[①]，决定了其生产方式也有两种：自然属性的公共物品主要是自然界自生自灭的，如地球上的阳光、空气等，它们的产生和消亡是不以任何人的意志为转移的，更不能靠市场机制来生产和消费。但人类在对这些物品使用的过程中，也不同程度地对这些物品产生了一些影响，如人类活动所产生的废气对地球臭氧层的影响就直接改变了阳光对地球的影响，温室效应使全球气候变暖就是一个典型例子。另外，人类活动对空气的直接污染，也不同程度地改变

---

① 根据公共物品的本质属性，我们可以将其分为两大类，即自然属性公共物品和社会属性公共物品。自然属性公共物品有阳光、空气等，它们属性比较单一，没有地域属性和阶级属性，属于有机会享受到或信赖它们的一切生命，是一切生命赖以生存的基础。相对自然属性的公共物品而言，社会属性的公共物品则复杂得多，公共物品的社会属性通常包含公共物品的政治属性、文化属性、经济属性和社会公益属性。

了空气的原始特征。社会属性的公共物品的生产则主要由社会，具体是说是由国家、政府或社会公众来完成的。如政治属性公共物品的生产只能由国家及代表国家政治利益的相关部门来完成，私人不可能拥有真正意义上的军队、警察。经济属性的公共物品的生产，同样也只能由政府及其职能部门来完成。因为任何个人或企业都没有能力，也不可能来维护一个社会的经济秩序，更不可能对一个区域或一个国家的宏观经济进行调控。社会公益属性的公共物品的生产，原则上也同样只能有由政府及其职能部门来完成。但在这一领域，我们不排除有些热爱社会公益事业的个人、企业或社团不以直接营利为目的而投资一些社会公益属性的公共物品的生产，但这毕竟是有限的，因为它不符合资本运行的客观规律。

2.2.2　粮食的本质属性

在粮食的本质属性方面，存在着两种截然不同的观点。一种是认为粮食的本质属性是商品属性。刘维（2003）认为公共物品有两个特征，即非竞争性和非排他性，公益品则是相对于公害品而言的，即政府强制消费的物品，而粮食不具备上述特征，所以粮食与其他商品没有什么不同，都是价值上同质并具有不同使用价值的商品。正因为粮食的本质属性是经济属性，因此，政府的作用是消除市场失灵的相关因素，抵御外力因素对市场的冲击，保障粮食安全。邓大才（2003）认为粮食的本质属性是公共物品属性，粮食是一种特殊物品，它承担了不少非经济职能，如保证人们生存的社会性质、确保稳定供给的政治性质、确保国家经济安全的战略性质，而且，粮食本身存在弱质性，所以粮食是一种公共物品，公共物品的生产、使用是市场失灵的领域，这就需要政府的力量来矫治和弥补。

粮食具有私人物品的属性，这是显然的，因为粮食具有萨缪尔森所定义的私人物品的一切特性：①它可分割并可分别提供给不同的人，而不带来他人外部的收益或成本，粮食消费的总量等于所有粮食消费者所消费的总和；②它具有排他性，即一个人在消费某部分粮食时，就排除了其他别的人消费这部分粮食；③它具有竞争性，即增加一个粮食消费者时，就要增加边际成本。但上述分析仅限于粮食的表面特征，也就是上述分析有两个假设前提，那就是粮食是安全的以及粮食可以通过市场机制来达到资源最优配置。

粮食更重要的属性是公共物品属性，下面我们从三个方面来证明这一论断（肖国安，2005）。

（1）粮食安全是公共物品

证明这一点比较容易，而且也容易达成共识。只要把粮食安全作为一个整体概念，作为一个"物品"，它完全符合公共物品的特征。萨缪尔森在论述公共物品的特征时，主要论述公共物品的三层内涵：①公共物品的第一特征是非竞争性和不可分割性，即每个人对该物品的消费不会减少其他人的消费，即任何一个人所能消耗的数量都与该物品的消费总量相等，用公式表示就是 $X_{n+j} = X^{in+j}$，式中，X_{n+j} 表示消费总量，X^{in+j} 代表第 i 个消费者的消费量。显而易见，粮食安全具有非竞争性，一个国家的粮食安全必须保证每个人的粮食安全，即国家粮食安全了，每个人的粮食就安全了。②公共物品的第二个特征是非排他性，即每个人无论是否购买，这一物品所带来的好处不可分割地散布于整个社区里。对于粮食安全，无论个人是否愿意购买，只要国家粮食安全了，不愿意购买的个人也自然而然地享受到了粮食安全。③公共物品容易诱发消费者"搭便车"的动机，即理性的个人有降低或隐瞒自己对公共物品的偏好的动机。公共物品的最优配置条件是在其他消费者所处的效用水平保持不变的条件下，该函数是其他任何个体效用的严格增函数。但由于消费者存在"搭便车"动机，使得粮食安全达不到最优水平，因此，对于粮食安全，以价格为核心的市场机制无法达到帕累托最优状态，出现了"市场失灵"，这就需要政府来矫正和弥补。根据上述分析，粮食安全这一物品完全具备上述三个特征，正如国防安全一样，是一种纯公共物品。

（2）粮食储备是公共物品

粮食储备是指国家为了粮食安全的需要，也为了平抑市场价格波动的需要所建立的储备制度。如果我们把粮食储备狭义地理解为储备粮，那储备就具有"私人物品"的特性了，因为在储备粮抛售时，它具有可分割性、竞争性、排他性，它可分割并分别供给不同的人，某个消费者消耗某部分储备粮，在储备总量中就减少了该部分粮食。但如果我们从粮食储备体系去理解，即把粮食储备作为一个整体，作为一种"物品"，它就有不可分割性、非竞争性、非排他性特点了。因为粮食储备不是为某个人或某部分人而储备的，而是为了达到国家粮食安全的一种手段，粮食储备所带来的粮食安全是针对全体人的，国家的每个人都能享受到这种储备所带来的粮食安全。所以，粮食储备是一种纯公共物品。

（3）粮食的本质属性是公共物品属性

前面从表象特征阐述了粮食具有一般私人物品的属性，但必须具备粮食安全和可以通过市场机制达到最优资源配置这两个基本前提。在市场经济条件下，这两个前提并不存在或并不稳固。

综上所述，粮食的表象特征是私人物品属性，其本质属性是公共物品属性，粮食具有公共物品和私人物品二重性。

2.2.3　粮食综合生产能力的公共物品性与外部效应

粮食的本质属性是公共物品属性，那么粮食综合生产能力作为保障粮食安全的一种战略选择，作为一种粮食生产能力的涵养、蓄积和储存，其公共物品属性是显然的。粮食综合生产能力也具备不可分割性、非竞争性和非排他性的特点。首先，粮食综合生产能力具有非竞争性。作为一个国家或一个地区可以稳定达到的粮食产出能力和粮食生产要素转化为现实粮食产量的一种能力，反映了粮食生产效率的提高，任何一个人所能消耗的数量都与该物品的消费总量相等。其次，粮食综合生产能力具有非排他性，无论个人是否愿意购买，随着粮食综合生产能力的提高，不愿意购买的个人也自然而然地享受到了粮食综合生产能力提高所带来粮食安全的好处。因为粮食综合生产能力是公共物品，其具有正的外部效应。

外部效应（externality）问题最早是由英国著名的福利经济学家庇古（Pigou）发现并提出的。所谓外部性，指的是私人边际成本和社会边际成本之间或私人边际效益和社会边际效益之间的非一致性。其关键是指某个人或厂商的行为影响了他人或其他厂商，却没有为之承担应有的成本费用或没有获得应有的报酬。外部效应的存在将使所谓帕累托的最佳条件不可能达到，除非"外部效应"的有利因素正好与不利因素相互抵消。这就决定了带有外部效应的产品和劳务的市场供给只能是过多或过少的，而不会达到最佳的资源配置状态。笔者认为，虽然对粮食综合生产能力的外部性还没有获得学术界、政府的一致认可，且其陈述、假设、验证及量化尚需不断改进，但外部效应的存在是一个不容争辩的事实。如果不存在保护和提高粮食综合生产能力的正向外部效应，那政府为何要斥巨资保护和提高粮食综合生产能力呢？由于粮食综合生产能力存在正向外部效应，粮食综合生产能力完全由市场来生产会产生一些不利影响。一般说来，个人决定购买任何产品只取决于他们对私人利益的判断如何，别人外部的积极影响并不为人们所考虑。一般认为，人们不可能自愿地走到一起解决外部效应问题。如果第三者的人数很多，解决问题的交易成本就太高。因此，政府有必要在这一领域发挥自己的特殊作用，以非市场的方式去矫正或解决粮食综合生产能力保护和提高中的外部效应问题。

在完全竞争条件下，资源最优配置（达到帕累托最优）的条件是，私人边际成本等于社会边际成本，私人边际收益等于社会边际收益，此时，社会福利实现了最大化。然而，在存在外部性的情况下，在达到社会福利最大化时，其边际条件就不是私人边际效益等于其他边际社会效益，而应是社会的边际成本等于社会的边际效益，需要把外部成本考虑进去。为此，庇古提出了被后人称为"黄金规则"（Golden Rule）的社会福利最大化的又一条件，作为对"帕累托边际条件"的补充。

如图 2-1 所示，横轴代表数量，纵轴代表价格，S 代表供给曲线，D'' 代表社会需求曲线，D' 代表个人需求曲线，Q_1 是没有考虑外部性条件下的供给量，Q_2 是考虑外部性条件下的供给量。$Q_2 - Q_1$ 为具有正的外部性时粮食综合生产能力在完全竞争市场中的供给缺口。这个供给缺口说明，由于存在强烈的外部性，完全竞争的市场机制并不能自动地引导效用最大化为目的的农户及其他投资主体有效地配置资源到提高粮食综合生产能力中，从而达到国家提高粮食综合生产能力以维护国家粮食安全的目的。

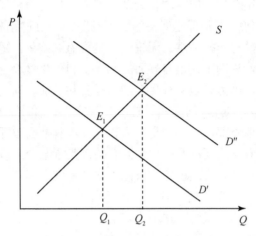

图 2-1　外部效应存在时的供给缺口

　　因为粮食综合生产能力的外部效应，不仅保护和提高粮食综合生产能力的农户会从其粮食综合生产能力的提高中获益，整个社群甚至整个社会也都会从中获益。所以，如果粮食综合生产能力由市场来提供，其数量总是小于"合意"的社会需要量，所以，政府对于粮食综合生产能力保护与提高的介入成为必然，这成为本书的基本理论前提。

2.3　粮食综合生产能力：一个理论分析框架

　　现有的文献侧重于一般性描述和对策性的研究，而对基础性理论研究非常少。对于什么是粮食综合生产能力？影响或决定粮食综合生产能力的因素有哪些？理论界还没有一个统一的认识，在研究中也没有一个完整的、系统的理论分析框架，特别是影响粮食综合生产能力各个因素之间的相互影响极少有人研究。探讨上述问题，对于推进粮食综合生产能力的研究有一定的理论价值和启发意义。

2.3.1　粮食综合生产能力内涵

　　农业是对自然界和社会开放的大系统，其生产过程是动植物有机体同环境之间进行能量转化和物质交换的过程。即人们利用生物机能，把自然界的物质能转化为人类最基本的生活资料和生产原料的一种经济活动。通过人的劳动控制实现农业生产诸要素投入和农产品产出的转化，是这一经济活动的基本过程。
　　陈金湘（2001）认为粮食生产系统是农业生产系统的一个亚系统，是一个人工系统，与自然系统相比，有人的参与，有明确的人为目的，是一个开放系统。同时，粮食生产系统又不是一般的社会经济系统，它还受自然因素的制约。同农业生产系统一样，粮食生产系统是一个开放系统，与环境之间不断进行着物质、能量、信息的交换，这种交换构成了系统与环境之间的内在联系；粮食生产系统还是一个具有耗散结构的系统，系统内部子系统之间具有物质、能量、信息的交换与流通。

既然粮食生产系统是农业生产系统的一个亚系统，那么就与农业生产一样，是把自然界的物质能转化为人类最基本生活资料——粮食的一种经济活动。投入，产出；再投入，再产出；循环往复，连续不断，呈螺旋式上升。在这里，粮食生产要素的投入是粮食产出的基础；粮食产出是粮食生产要素投入的结果，这种由粮食生产要素投入决定、由粮食产出水平表现的粮食投入产出规模和效能，就是粮食综合生产能力。可以说，粮食生产要素是形成粮食综合生产能力的载体和基础；粮食综合生产能力的高低，取决于投入要素规模的大小和转换的效率。

从总体上说，粮食综合生产能力应包括两方面的含义。一方面，它由土地、资金、物质、劳力等综合投入所形成，没有这些要素的合理投入，就形不成粮食综合生产能力；另一方面，粮食综合生产能力水平高低，由小麦、玉米、水稻、大豆、薯类等粮食产品综合产出表现。一般情况下，粮食等产品产量增加，就意味着粮食综合生产能力的提高。粮食产出能力稳定地达到一定水平之上，表明粮食综合生产能力也达到了一定水平之上。如果粮食综合生产能力能够百分之百地发挥作用，这时的粮食产出水平就是粮食综合生产能力的水平。但是，由于社会经济条件、自然气候因素和某些投入要素的限制，往往粮食生产能力只能部分地发挥作用，因而实际产出水平值小于粮食生产能力水平值。

从一般意义上说，粮食综合生产能力由上述形成要素和表征要素两部分构成。转换效率是形成要素和表征要素之间的联系纽带，自然灾害、宏观粮食政策和科技进步直接影响转换效率（图 2-2）。

粮食综合生产能力有狭义和广义之分，狭义的粮食综合生产能力，主要涉及粮食的生产环节；广义的粮食综合生产还包括产前环节的粮食科研教育、粮食生产资料供应和产后的粮食加工、粮食流通增值。本书的粮食综合生产能力是指广义的粮食综合生产能力。

2.3.2 粮食综合生产能力的影响因素

研究粮食综合生产能力的关键就在于找出决定或影响粮食综合生产能力的各种因素，并明晰各种因素对粮食综合生产能力的影响及各种因素之间的相互影响，从而为国家或地区制定保护和提高粮食综合生产能力的政策提供参考。那么，影响或决定粮食综合生产能力的因素有哪些呢？

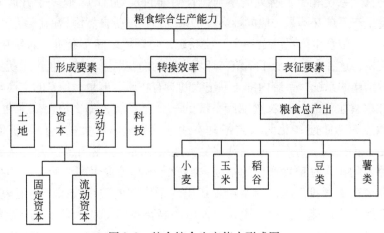

图 2-2 粮食综合生产能力形成图

影响粮食综合生产能力的因素有许多（图 2-3），但简单地说，可以归纳为两个方面（图 2-4）：投入因素和非投入因素。

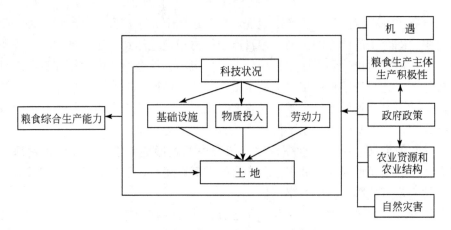

图 2-3 粮食综合生产能力影响因素框架图

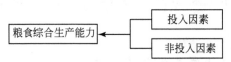

图 2-4 粮食综合生产能力的影响因素

2.3.2.1 投入因素即粮食生产过程中的农业生产要素条件

农业生产要素可以分为传统农业生产要素和现代农业生产要素两类。传统农业生产要素主要包括气候条件、地理位置、劳动力和土地、水利等农业自然资源，这些要素有的是自然生成，有的只要简单的私人及社会投资就能拥有；现代农业生产要素主要包括农业技术、人力资本、现代化通信的农业基础设施、农业生产管理等，现代生产要素不是自然生成的，需要依靠持续地追加投资创造出来。大致说来，粮食生产过程中的农业生产要素条件有：

（1）土地

土地主要是指为粮食生产提供必要的耕地面积和耕地质量，这是构成粮食综合生产能力的最基本的起决定性作用的要素，在粮食系统中起着其他生产要素不可替代的作用，其他的各种投入要素都是通过直接或间接作用于土地上才能影响粮食产量的，才能对粮食综合生产能力发挥作用。

（2）科学技术状况

科学技术状况主要是指发展粮食生产的科技研发和成果储备，以及有效的农业技术推广应用体系，这是提高粮食综合生产能力的根本支撑力量（尹成杰，2004）。科技是通过影响其他要素的配置状况和利用效率而影响粮食综合生产能力的，经济学上说就是通过生产可能性曲线的向外移动或者说生产函数的外移而提高粮食综合生产能力的。

（3）劳动力

劳动力是粮食生产的主体，也是影响粮食综合生产能力的一个重要因素。作为投入要素的劳动力，其对粮食综合生产能力的影响主要体现在劳动力的数量和质量上。劳动力质量高低以劳动者受教育程度为衡量基准。劳动者受教育程度对粮食综合生产能力的影响主要表现在：一方面，文化程度高的农户择业面宽，收入来自第二、三产业的比例高。实践表明，文化程度高的农户除运作自己承包耕地外，为增加收入多向生产的深度和广度开拓，经营二、三产业，有的农户甚至以非农产业为主兼营农业。在同等条件下，非农产业收益普遍高于农业已是不容争辩的事实。农业劳动者素质提高后转向非农产业，在增加自身收益的同时也为社会创造了新的财富，间接地增强了粮食综合生产能力。另一方面，不同文化程度的劳动力粮食生产成本不一。文化程度越高，成本越低，收入越高，利润越多（王渝陵，1999）。

（4）农田水利设施等基础设施

水利是农业的命脉。粮食单产的提高，受农田水利设施影响极大。新中国成立以来，广大农村随着有效灌溉面积的不断扩大，粮食亩产有所提高。我们虽然不能得出粮食亩产与有效灌溉面积同比增长的结论，但毕竟有效灌溉面积的扩大能够促进粮食产量增长，降低粮食生产的成本（王渝陵，1999）。

（5）物质投入

物质投入包括化肥、农药、机械、电力等投入。化肥是现代农业中最大的一项投入，也是增产效力最高的一项投入。有专家估计，欧美发达国家目前粮食产量中将近一半是因为化肥的投入取得。在发展中国家，化肥的增产效益更高。但现实的答案在于：化肥与粮食的边际效益上升的时代已经结束。20 世纪 90 年代是在一个较高的基数上增长，化肥在增加粮食产量的同时板结土壤的负面效应日渐突现，仅仅依靠增施化肥换取更多粮食的思路可能要付出更大的代价。农业机械化和农村电气化是十分重要的农业生产条件，也是农业现代化的重要标志之一。农村电气化主要体现在粮食生产中的土壤改良、农机修理、水利排灌等方面。一般来说，电力的使用对粮食综合生产能力缺乏直接的影响力度。农业机械一定程度上减轻了农民的劳动强度，提高了农业劳动生产率，但对粮食总量增长同样缺乏直接的推动力度（王渝陵，1999）。

2.3.2.2　非投入因素

（1）机遇

一些偶然性的事件和机遇有时会对一国粮食综合生产能力产生影响，这是因为偶然事件会打破原本的竞争状态，使粮食生产主体和消费者主体之间的地位发生变化，从而为粮食生产者提供新的空间。这些机遇包括：重大的粮食生产技术革新、外国政府在粮食生产决策上的重大改变、战争等。

（2）政府行为（制度或政策）

政府行为对粮食综合生产能力的作用是通过影响上述各方面因素来实现的。例如，政府通过加大农业基础设施建设、治理农业生态环境、加强农业科学研究和农业先进技术的推广等方面，从而有利于农业生产要素的改善和生产要素投入的增加，直接提高粮食综合生产能力；政府有时通过对粮食价格和生产的调控（如粮食价格支持政策、粮食直接补贴等）左右粮食生产主体的种粮积极性以影响粮食综合生产能力；政府有时也会通过制定农业结构调整和资源区划等政策以改变现有粮食生产的地区格局和品种格局而影响粮食综合生产能力，等等。

（3）粮食生产经营主体的状况

粮食生产经营主体主要从两方面来影响粮食综合生产能力：一是粮食生产经营主体在粮食生产上的积极性。粮食生产经营主体在粮食生产上的积极性受粮食生产比较效益、国家粮食政策等因素的影响，同时也影响粮食产量的高低。二是粮食生产经营规模大小。粮食生产经营规模的大小对于农业现代生产要素的投入和使用、对于粮食成本的降低、对于粮食生产主体驾驭市场的能力都有影响，从而影响一国粮食综合生产能力。

与粮食生产有直接相关利益的主体（生产者）可分为地方政府和农户。二者种粮的积极性都取决于种粮收益和成本的比较。目前生产者在粮食生产上还存在三个方面的问题：

1）如果不考虑政治和社会因素，纯粹从经济角度考虑，地方政府发展粮食生产的积极性不高，因为地方政府从粮食生产中汲取的财政收入减少，发展粮食生产增大地方财政支出压力，发展农业不如发展工商业。

2）目前农民种粮积极性提高，但后劲不足。从不同时期纵向比较，目前农民种粮积极性的提高，是因为国家实行种粮补贴（粮食直接补贴、良种补贴、购农机补贴）、减免农业税和粮食价格上涨，实行最低限价收购制度；从不同产业的横向比较，农民种粮积极性仍后劲不足，原因是务农种粮不如打工，不如种经济作物；化肥、农药、燃油等生产资料价格上涨，粮食涨价收入被抵消。

3）种粮农民的素质下降。由于务农不如打工，大多青壮劳动力外出，导致在家务农的劳动力多数是老人、妇女，文化程度低，实用新技术的推广应用受到影响，多数村民是凭经验种田。

（4）农业资源区划和农业结构

农业资源区划工作发挥了巨大作用，在宏观和微观方面，为各级政府指导农业生产提供了依据，全面的农业资源普查为农业资源在粮食生产上的合理利用奠定了基础。

（5）自然灾害

粮食生产属于露天作业，是自然再生产与经济再生产过程的统一。粮食生产在受经济因素制约的同时，也受到诸如气候变化、降水等自然因素的影响，这其中自然灾害因素会对粮食生产产生严重干扰。可以毫不夸张地说，自然灾害是影响粮食生产的一个限制性因素。但以目前的科学条件，除去通过加强基础设施建设来减轻自然灾害对粮食生产的危害以外，人类还没有能力减少自然灾害的发生。

2.3.3 粮食综合生产能力的分析框架

从粮食综合生产能力的内涵与外延来看，粮食综合生产能力是动态变化的。粮食综合生产能力既表现为一定的粮食产量，又包含一定的粮食增产潜力和粮食生产的效率。各构成要素的作用不可能同时得到充分发挥，当期粮食产量一般要低于粮食综合生产能力。

因为粮食综合生产能力是指一定时期的一定地区，在一定的技术条件下，由各生产要素综合投入所形成的，可以稳定地达到一定产量的粮食生产能力，因此我们对粮食综合生产能力的增加就可以先从粮食产量的稳步增加入手。对此，我们从樊胜根对经济增长的分析中找到灵感。樊胜根（Fan Shenggen, 1991）在一篇经典文章中将所观测到的实际产出增长归结为投入的增长、技术进步（生产边界的扩张）和技术效率（实际产出相对于最优产出的移动）的贡献。下面给出了技术进步和技术效率的图形解释（图 2-5）。

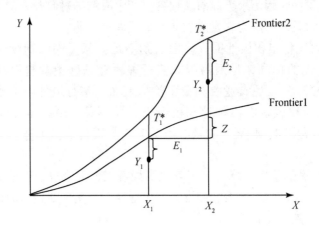

图 2-5　投入增加、技术进步和技术效率提高对产出增长的影响

技术进步与技术效率不同，技术效率强调对技术的利用程度，是实际产出（realized output）与潜在产出（potential output）的比。

在生产完全有效的假设下，生产在生产边界（最优生产边界）上进行，如图 2-5 所示，在时间 T_1 和 T_2 期生产者面对生产前沿函数 Frontier1 和 Frontier2。在要素投入 X_2 的情况下，T_1 期的最大可能产出是 T_1^*、T_2 期的最大可能产出是 T_2^*。然而，由于技术应用并没有达到完全有效的状态，生产点落在生产边界之内，相应的 T_1 期的实际产出是 Y_1、T_2 期的实际产出是 Y_2。在图形上，技术进步表示为 $T_2^* - T_1^*$。T_1 期的效率损失是 E_1，而 T_2 期的效率损失是 E_2，所以技术效率的增加为 $E_1 - E_2$。要素贡献是 Z。此时生产的增长由三部分构成，即投入的增加、技术进步和技术效率的提高。

$$Y_2 - Y_1 = Z + (T_2^* - T_1^*) + (E_2 - E_1) \tag{2-1}$$

式中，$(E_1 - E_2)$ 为技术效率提高带来的增长，$T_2^* - T_1^*$ 为技术进步带来的增长，Z 是投入增加带来的增长。

所以，对粮食综合生产能力的分析就可以从两方面着手，第一方面，粮食综合生产能力的形成要素——投入要素，各种投入量的增加可以直接提高粮食综合生产能力；第二方面，粮食投入要素转化为粮食产量的转换效率，或者也可以说粮食产量达到粮食综合生产能力的有效程度。

其中第二个方面又有两个层面的内容：一是由于投入质量的改善[①]和要素配置的改变，同样的投入要素所能获得的粮食产量增加，这就是所谓的粮食生产边

———————————

① 当然此处要把要素投入质量的提高与要素投入数量的增加区别开来。

界的向外移动，这属于粮食生产技术进步（狭义）范畴①；二是由于基础设施的改善和国家宏观粮食政策调动农民种粮积极性而使粮食产量增加，使粮食实际产量与粮食潜在可以达到的产量（最优产出）间距离更近，也就是技术效率的提高。当然，因为粮食生产的比较优势、国家的宏观战略等造成的粮食生产资源的未充分利用，这可能是主动的（如在粮食生产供过于求时的农业产业结构调整、退耕还林及充分利用国外市场的粮食进口替代战略）也可能是被动的（如粮食比较优势低下时的耕地抛荒、复种指数的降低、粗放耕作等），这部分资源在条件具备的时候可以转化为现实的粮食产量，可认为是粮食产量的储备，应为粮食综合生产能力分析的应有之义②。图 2-6 给出一个清晰的粮食综合生产能力分析框架图，图中可以明白地看到粮食综合生产能力的影响因素以及粮食技术进步的狭义和广义的区分。

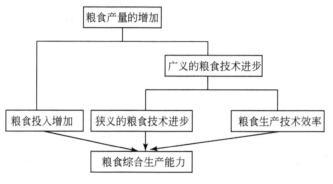

图 2-6　粮食综合生产能力分析框架

---

①　朱希刚对农业技术进步进行了解释：农业技术在实现一定目标方面所取得的进化变革，所谓一定目标是指人们对技术应用所期望达到的目的及其实现程度（朱希刚，1994）。具体来讲，目标可以是提高农副产品产量、改善农产品质量、减轻劳动强度、节约物化投入及改善生态环境等。如果通过对原有农业技术（或技术体系）的改造和革新，研究、开发出新的农业技术（或技术体系）代替旧技术（或技术体系），使其结果更接近于目标，这就是技术进步，即所谓的"广义的技术进步"。这个定义在 1997 年被我国农业部采纳（见《我国农业科技进步贡献率测算方法》，1997），这里"广义的技术进步"实际上包括了狭义"技术进步"（生产函数的移动）和"技术效率的提高"，也就是广泛使用的概念"全要素生产率"。尽管这个定义比较宽泛，但由于能解释农业生产的实际，本书接受这个观点。

②　这也可以认为是粮食综合生产能力的一种蓄积和储备，我们在分析中没有特意把它单独列开，何况受数据的影响也很难分开来进行分析。

第3章
中国的粮食生产效率
——基于全要素生产率的分析

改革开放以来，我国粮食生产取得了举世瞩目的成绩，以占世界7%的土地养活了占世界22%的人口，这就是我国粮食生产对世界粮食所作贡献的真实写照。前面已有论述，中国的粮食长期安全取决于中国粮食综合生产能力的提高，这有赖于两条途径：增加粮食生产要素的投入和提高粮食生产效率。在我国资源相对匮乏、农村经济整体水平不高和生产要素边际报酬递减规律等多重约束下，只有依靠粮食生产科技进步促进粮食生产效率的提高才是未来粮食增长的根本出路。粮食的全要素生产率（TFP）是粮食生产效率的 BLUE[①] 估计，是粮食生产科技进步的反映（韩晓燕、翟印礼，2005）。

农业生产率的增长被认为是社会经济增长的基础。因此，对农业生产率的研究一直是发展经济学家和农业经济学家研究的热点。已有研究检验了农业生产率增长的源泉和影响因素，并实证分析了国际和地区间生产率的差异和变化趋势。近年来，由于数据的更新速度加快，以及研究方法的改进，以前研究的结论和成果得到不断的更新和修正。我国对农业生产率的研究早期主要停留在定性分析上。冯海发（1990，1993）较早地运用全要素生产率的概念及原理定量测算了中国农业生产率的变化和增长模式，其使用的方法是C-D函数形式。最近的研究开始转向对农业生产率综合指数法的运用和探讨（胡华江，2002；陈圣飞，2001），但研究的方法大多仍局限于参数形式的C-D函数，与国外研究相比较，显得比较单一，缺乏方法上的多样性和创新性。吴方卫（2000）等开始尝试运用非参数的方法，如数据包络分析及非参数的指数来研究农业生产率的问题，这是对研究方法上的一次有意义的尝试。

在粮食领域，对全要素生产率的研究较少。周宏、褚保金（2003）用 DEA方法测定了 1981～2001 年中国水稻生产效率的时空变动；张冬平、冯继红（2005）利用我国小麦生产成本收益数据，分析了 20 世纪 90 年代以来我国小麦生产全要素生产率及其构成的变化趋势及特点，从而探讨我国小麦生产效率下降

---

① Best linear unbiased estimator 的首字母缩写，指最优线性无偏估计量。

的原因及提高的途径。具体到粮食的生产效率，国内还未见相关研究。

本章采用基于数据包络分析（DEA）的非参数方法，分析了 1994～1999 年、1999～2004 年两个时间段中国粮食全要素生产率的变化规律及地区差异，并证明中国粮食生产全要素生产率的绝对 β 收敛。

3.1　全要素生产率的概念、沿革与内涵

3.1.1　全要素生产率的概念与沿革

全要素生产率的研究可以追溯到生产函数的研究，总量生产函数的概念起源于经济学家道格拉斯（Douglas）和其助手的著作中，生产率在经济增长中作用的定量研究由此开始。1942 年，第一届诺贝尔经济学奖获得者之一，荷兰经济学家丁伯根（Tinbergen）跨出了超出道格拉斯使用过的概念的关键一步，他在资本和劳动投入函数中添加了一个时间趋势，表示"效率"的水平（Tinbergen，1942）。丁伯根的著作一直到 20 世纪 50 年代中期并没有引起人们的注意，但其最先提出全要素生产率问题却获得美国经济学界公认。

1947 年，乔治·施特格勒首次测算了制造业的全要素生产率。1948 年，巴顿和库珀研究了农业的全要素生产率。几乎是在同时，希朗·戴维斯一直致力于全要素生产率的探讨，他在 1954 年发表了《生产率核算》一书。在该书中，他指出全要素生产率应针对全部投入要素进行测算，而不是只涉及部分要素。该书首次明确了全要素生产率的内涵，从而被经济学界推崇为"全要素生产率"的鼻祖①。

诺贝尔经济学奖获得者罗伯特·索洛（R. M. Solow）于 1957 年在《经济学与统计学评论》上发表了《技术进步与总量生产函数》，首次提出"全要素生产率"（total factor productivity，TFP）。作为新古典增长理论的代表人物，索洛在其研究中发现一个令他困惑的问题，经济增长中有一部分不能被劳动、资本投入解释，称之为"余值"，即后来的"索洛余值"（Solow residual）。在对美国 1909～1949 年经济增长的测算中，"索洛余值"占据了经济增长的 7/8，也就是说有 7/8 的经济增长没有得到解释，于是索洛在《经济学与统计学评论》上发表论文，论文统一了生产的经济理论、拟合生产函数的计量经济方法，第一次将技术进步因素纳入经济增长模型，在定量研究中，索洛将人均产出增长扣除资本集约程度

---

① 第二次世界大战以前的生产率概念乃是指劳动生产率。最早规范测算生产率的政府部门是美国劳工统计局，它从 1926 年起测算各产业部门的年度生产率指数，是按"人时产出量"进行计算的。由此可见，当时生产率概念本质上是单要素生产率而不是全要素生产率。

增长后的未被解释部分归为技术进步的结果，称其为技术进步率，这些未被解释的部分即"索洛余值"，也即为全要素生产率的增长率。全要素生产率反映的是引进新的技术、劳动力技能和精神动力的提高及组织管理方面的改进等因素带来的效率增加，其计算方法为实际产品增长率和实际要素投入增长率之差，其中产品增长率和要素投入增长率均经过加权平均。

针对全要素生产率增长率无法直接计算的困难，美国经济学家丹尼森发展了"索洛余值"的测算方法。他从索洛模型出发，主要是把投入要素进行了更加详细的分类，然后利用权数合成总投入指数，全要素生产率增长率定义为产出增长率扣除各生产要素投入增长率的产出效益后的"余值"。这就是著名的"丹尼森模型"①。

进入 20 世纪 80 年代以后，在生产率理论与测算方法研究中独领风骚的是美国著名经济学家乔根森（Dale W. Jorgenson），他采用超越对数生产函数的形式在部门和总量两个层次上进行了生产率的度量，他系统阐明了以资本服务的租赁价格为基础的新古典投资理论，通过包含在新增投资中的新技术，解释了生产率的变动②。乔根森方法测算全要素生产率最大的贡献是对投入要素的准确测量，特别是对资本投入准确地测量，若只考虑资本投入和劳动投入，则体现的技术进步，即同投入要素有关的技术进步应全部能在这两种投入要素中得到反映，若能在投入要素的投入量中将体现的技术进步测量出来，则全要素生产率就只包含了未体现的技术进步③。

以索洛（1957）为代表的新古典增长理论，揭示出最终为经济增长原动力的是技术进步而不是其他。然而新古典增长理论对于技术进步是什么、从何而来却始终没作出令人信服的回答。技术进步被简单地视为全要素生产率变动的全部，亦即增长的余值，是不能用其他方法予以说明、任何增长中都存在的一个因素。但是传统的经济理论为我们描述了一种理想的生产资源配置状态，即利润最大化和成本最小化的统一，它要求一个企业或一个部门现有技术水平充分发挥，生产要素的组合达到最佳，生产规模最为适度。具体表述为：第一，技术约束是生产

---

① 从表面上看，索洛模型和丹尼森模型没有什么区别，本质上却反映了截然不同的经济关系：前者着眼于解释产出增长率，后者旨在测算全要素生产率增长率。

② 在古典生产理论中，新技术被设想为"非物化的"，即在某种意义上是独立于资本和劳动的增长之外的。

③ 技术进步分为体现型和非体现型。体现型技术进步是指伴随新要素质量的提高而产生的技术进步，如因劳动质量的改进而产生的技术进步。非体现型技术进步是指不依赖于要素质量的外部因素作用产生的技术进步，例如，管理水平的提高、资源分配的合理性，等等。随着时间的推移，技术进步的作用必然要体现在生产要素中。如相同价值的物质设备，由于它购置年代的不同，新的物质设备可能吸收进了更多的新技术而比旧的设备具有更大的生产能力。同样由于增进教育、技术培训等因素所引起的劳动投入的改进，使技术进步的作用也体现在劳动质量的提高上。

资源配置的前提条件，生产技术为配置有限的生产资源提供了一种可能性，这种可能性因技术条件自身的限制而有一个最大的可能值，或能说有一个边界值。一旦企业充分运用这种技术条件，实现利润最大化是可能的。第二，要素组合的最优是企业或部门配置资源，实现其经营目标的基本条件。无论是短期经营还是长期经营，企业或部门寻求生产要素的最佳组合实际上是对带限制条件的最大值问题求解。这种限制条件是企业的成本。第三，规模经济理论讨论的是企业产量和生产环节组合的规模间的关系。他研究企业或国家各产业部门在技术约束不变的前提下，产出量的增加使企业生产成本发生了变化，表明在一定条件下有效的（理想）经济规模是存在的。在这种经济规模下，企业可以达到成本的最小化。按这种理论，我们有理由认为企业理想的资源配置状况应该是其技术、规模及要素组合同时有效的状况。在这种情况下，技术进步即全要素生产率，全要素生产率变动即技术进步。

随着 20 世纪 80 年代非参数 Malmquist 生产率指数法等多种参数或非参数、随机或非随机方法的迅速发展，人们逐渐发现，绝大多数企业不是充分有效率的，在这种情况下，全要素生产率的改善不仅取决于所采用的技术水平的提高，还取决于对现有技术的使用、发挥状况（资源配置效率）的改进。二者对企业都是非常重要的。在当今社会中，如果技术进步是生产发展、经济增长的源泉和根本动力的话，而资源配置效率的高低（如现有技术水平是否充分发挥、要素配置是否合理及规模是否适度）体现企业组织水平的高低，它将成为技术进步作用最大限度发挥的保障。换句话说，技术进步使生产可能边界发生向上位移拓展，资源配置效率[①]提高意味着朝生产可能性边界的动态逼近。

3.1.2　全要素生产率的内涵

我们这里所谓的全要素生产率其实就是广义的科技进步。科技进步是科学技术为促进经济发展和社会进步的需要而不断发展和提高的过程，是由所确定的范围内两个不同时刻科学技术水平的变化状况进行对比得出来的，表现为能够使一定数量生产要素的组合创造出更多、更高质量的产出。科技进步的经济解释为：生产系统在某一时空上拥有的科技水平是投入、产出两种关系的约束，约束是一个生产系统所拥有的各种科学技术的某种综合或现象，是宏观现象的科技，并不涉及具体的物理过程。广义的技术进步一般包括劳动者素质及装备技术水平的提高、工艺流程的改革、管理水平的提高、经济结构的优化和政策调整的作用等，是在经济增长中除资金和劳动力投入数量增加之外的其他所有因素的共同贡献，

[①]　资源配置效率和下文的综合技术效率其实是一个概念，只是叫法不同。

通常称为"索洛余值"。对于粮食生产而言，除去劳动力投入和各种物质投入之外的其他所有因素，如劳动者素质的提高、种植技术的改进、粮食价格政策和收购政策的影响以及各种投入要素之间的协调等。根据"索洛余值"的定义可知，技术进步的影响因素是繁多复杂的，根据不同学者的研究，这里介绍几种主要影响因素。

3.1.2.1 科技投入

新经济增长理论认为技术进步是经济增长的最终源泉，而科技投入是促进技术进步最直接的因素。科技投入较明确地说可分为两个部分：一是对为获取科技成果开展理论研究工作的投入；二是对为获得经济效益和社会效益而进行的技术改造、技术创新等方面的投入。科技投入的生产力作用是通过提高物质资本和人力资本的效率来实现的。科技投入将从三个方面增加物质资本的效率：一是在保证物质资本使用价值的前提下降低生产成本；二是在生产成本不变的情况下提高物质资本的使用价值；三是既降低成本又提高物质资本的使用价值。

3.1.2.2 制度变迁

20 世纪 70~80 年代，新制度经济学形成并把制度对经济增长作用的研究推进到新的高度。从全要素生产率看，制度主要从三个方面提高经济效益：一是制度创新可以降低交易费用，从而提高要素的生产性和流动性，进而提高资源的配置效率；二是适宜的制度会产生对经济主体从事技术创新的激励，从而有利于技术进步；三是制度创新可以通过构建合理的组织结构实现规模效益。在舒尔茨、诺斯等人看来，制度创新是内生的，这就使得制度创新可以成为经济增长的持久动力。当然，对于粮食的增长和粮食综合生产能力的保护和提高中制度变迁也起着重要作用。

3.1.2.3 资源配置

亚当·斯密在《国富论》中较为深入地阐述了劳动分工对经济增长的促进作用。劳动分工不同则资本和劳动力生产要素的配置就会不同，对经济增长的作用也会不同。适宜的资源配置方式将对经济增长产生积极的作用。

3.1.2.4 人力资本

经济学家们对人力资本重要性的认识和地位的确立是随着经济的进步和增长逐渐发展起来的。"人力资源是国民财富的最终基础，资本和自然资源是被动的生产要素。人是积累资本、开发自然资源、建立社会经济及政治组织并推动国家向前发展的主动力量，显而易见，一个国家如果不能发展人们的技能和知识就不能发展任何别的东西"①。在农业科技飞速发展的今天，农村人力资本的核心地位更为突出，因此积极培养粮食生产中的农村人力资本并有效地使用，对于提高我国粮食综合生产能力，确保国家粮食安全具有重要的意义。

3.1.2.5 规模经济

长期以来，规模经济在科技进步与经济增长理论中是一个颇为棘手的问题。柯布－道格拉斯生产函数法及"索洛余值"法都假定资本、劳动产出弹性和为1，这样就在投入变化部分中假定规模经济为零，而其结果必将规模收益的变化全归于科技进步里面，这样，在是否应将规模经济归于科技进步的不同观点的学者之间产生了不同的测定结果。正是在这一点上，Solow 与 Stigler 之间发生了严重的分歧，他们在 1961 年的争执被称作 Solow-Stigler 之争：Stigler 坚持要将规模经济的作用从产出增长中分离出来，然后再测定科技进步，而 Solow 一方面承认规模经济的存在，但又认为规模经济是不能够与技术进步同时被度量出来的，Solow 回答 Stigler 尖锐的批评时说，考虑规模经济的作用，并将它从科技进步的作用中分离出来是个谜，这个谜需要天才来解答。我国一些学者在这点上也有着很大分歧，1998 年前的很多学者的实证研究大多在资本、劳动要素产出弹性和为 1 的框架下进行，如朱希刚（1994，1997）、顾焕章、王培志（1994）对我国农业的研究，而后有些学者提出了相反的看法和一些尝试性的做法。

必须再次强调，不管 Solow 对规模经济的观点如何，其做法的最终结果是，在要素投入变化中假设规模经济为零，而将规模经济的效益变化归于科技进步当中去了。所以，我们的讨论也并不是规模经济的存在问题（规模经济是显然存在的），而是规模经济与科技进步的关系问题。

3.1.2.6 替代效应

生产要素之间的替代现象的发生是由于要素之间的相对价格变化引起的，替代效应是指要素替代发生后对生产过程的效益的影响。假设生产中只有资本 K 和劳动 L 两种要素，当要素 K 的价格相对降低时，生产者自然地会使用更多的 K 来替代 L。柯布－道格拉斯（C-D）生产函数法有一个前提假设——希克斯中性进步，如果 K/L 不变时，劳动力的边际产量与资本的边际产量的比也不变，就定义为发生了中性技术进步。其意思在于假定了 K、L 两者的产出弹性不变。而现实中希克斯中性的定义通常是较严格的意义上采用的，它要求任意的 K/L（常数值）上，边际产量比都应当不受科技进步的影响，这是不符合现实情况的。柯

---

① 英国经济学家 F. H. 哈比森在《作为国民财富的人力资源》一书中的经典名言，转引自谭崇台. 1989. 发展经济学. 上海：上海人民出版社：180.

布－道格拉斯生产函数法也并没明确指出资本、劳动力之间的替代不存在变化，不管怎样，其结果必将替代效应归于科技进步。这样，也必然在是否应将替代效应归于科技进步的不同观点中产生不同的测算结果，在生产要素相对价格变化较大的情况下，由替代效应引起的科技进步估算误差可能是显著的。近来，有些经济学家主张将替代效应归于科技进步的作用，以此避开这个理论问题，但有些学者持反对意见，如朱希刚（1997）在《我国农业科技进步贡献率测算方法》一书中，就专门谈到要将替代效应与科技进步分离开来。

至此，还不能简单地处理替代效应与科技进步的关系，要看引起替代发生的要素相对价格变化的原因是什么。要素相对价格变化是由各要素的供求关系变动引起的，而导致供求关系变动的因素，一是供给的变动，主要来自社会生产能力水平的变化、生产之外的供给如自然资源的禀赋的改变等，二是生产者需求的变动。由生产能力水平变动引致的供给变化及需求结构的变化是科技进步的结果，应归为科技进步的范畴，没有科技进步，生产只是"外延扩大再生产"的形式，生产、生活停滞不前，生产供给能力和需求结构不会有大的变动，从这一点看，替代效应应归于科技进步。而生产之外的供给改变如自然资源禀赋的改变，产生替代效应的过程完全是一个自然的过程，这种情况下产生的替代效应则不能归为科技进步范畴，例如，大量矿产资源的意外发现，使矿产资源的价格相对其他要素下降，从而产生替代效应，就不能说是科技进步的结果。因此，理论上而言，替代效应不能简单地或者不能完全地包含在科技进步当中，但在资源日益稀缺的经济情况下，靠自然禀赋而产生替代效应的现象很少，生产要素相对价格的变化更多是由于生产能力及需求结构的变动引起，本身就是科技进步的结果。因此替代效应与科技进步的关系理论上不能简单定义，但在现代经济增长的研究中更多的是一种包含关系，尤其在研究宏观经济问题当中。

总地说来，粮食科学技术是人类经验和智慧的结晶，它是在粮食生产过程中，为增加粮食数量和提高粮食质量而应用的、凝结在粮食生产诸要素中的各种知识和技能的总和；粮食科技进步是指人们应用农业科技去实现一定目标方面所取得的进展，是一个不断地把新技术、新知识推广应用到粮食生产各要素中，重新组合生产要素，建立效能更优、效率更高、生产费用更低的粮食生产科技新体系，提高粮食的经济、生态、社会效益，促进粮食科技水平不断递进、粮食有效增长和粮食综合生产能力不断提高的过程。

粮食全要素生产率（TFP）的变化是由多方面的因素相互作用而成的，例如，粮食品种的改良、粮食作物栽培技术的改进、粮食生产者的劳动技能和知识水平的提高、粮食生产组织和管理以及计划的改进等，这些因素相互联系，盘根错节。本书在实证分析中，并不试图把这些因素的影响分离出来①，而抛开粮食全要素生产率纷繁芜杂的影响因素，将粮食生产中除去劳动力投入、粮食播种面积、农用化肥和农业机械总动力外所有其他因素都归为粮食全要素生产率的解释范畴，也即粮食生产中的广义技术进步，这样可以在不影响结果的前提下使分析过程更为简化。

3.2 全要素生产率的度量方法

国内外专家采用不同的方法以及不同的思路来考察全要素生产率。目前主要存在以下几种方法：

3.2.1 生产函数法

生产函数是表示投入与产出关系的函数。人们常用生产函数来研究生产系统的科技进步问题，因而把这类方法统称为生产函数法或数学模型法，它是测定生产率的最普遍的方法。若用 Y 表示产出，用 K 和 L 表示资本和劳动投入，t 表示时间，F 表示 K、L、Y 之间的函数关系。那么，生产函数一般形式为

$$Y = F(K, L, t) \tag{3-1}$$

假定生产函数所表示技术的变化只通过时间因素 t 表现出来而不影响到要素投入，即"技术中性"。于是上式的时间因素 t 可以独立出来，表示成单独的因子：

$$Y = A(t) \cdot f(K, L) \tag{3-2}$$

生产函数有各种不同的形式，采用不同形式的生产函数在求得全要素生产率的增长率时则表现出不同的特点。常见的生产函数主要有以下几种。

3.2.1.1 Cobb-Donglas 生产函数（C-D 生产函数）

C-D 生产函数形式为

$$Y = A \cdot K^{\alpha} \cdot L^{\beta} \tag{3-3}$$

引入规模报酬和生产均衡者的假设，则有：

$$\alpha = \frac{\partial Y/Y}{\partial K/K}; \quad \beta = \frac{\partial Y/Y}{\partial L/L}; \quad \alpha + \beta = 1$$

3.2.1.2 不变替代弹性生产函数（CES）

不变弹性生产函数的具体形式为

---

① 前面的 Solow-Stigler 之争中就提到，要想把这些因素分离出来，需要天才来解答。

$$Y = A\left[\delta L^{-\rho} + (1-\delta)K^{-\rho}\right]^{-\frac{\mu}{\rho}} \tag{3-4}$$

式中, A 为时间因素, μ 为规模报酬, δ 为分配系数, ρ 以 $1/(1+\rho)$ 形式表示替代弹性。

3.2.1.3 超越对数生产函数

超越对数生产函数的形式为

$$\ln Y = \alpha_K + \alpha_K \ln K + \alpha_L \ln L + \frac{1}{2}\beta_{KK}(\ln K)^2 + \beta_{KL} \cdot \ln K \cdot \ln L + \frac{1}{2}\beta_{LL}(\ln L)^2$$

$$\tag{3-5}$$

引入规模报酬不变和生产者均衡的假设, 可以得到:

$$V_K = \alpha_K + \beta_{KK} \cdot \ln K + \beta_{KL} \cdot \ln L$$
$$V_L = \alpha_L + \beta_{KL} \cdot \ln K + \beta_{LL} \cdot \ln L$$

分别表示资本份额和劳动份额, 且 $V_K + V_L = 1$。

运用上述生产函数必须具备的假设前提有以下三条: ①生产过程满足成本极小化要求; ②生产过程满足产出极大化要求; ③产品和生产要素处于完全竞争的市场之中。其中③实际上是实现①、②所必须具备的外部条件。

三条假设前提的实际内容是生产要素之间的最佳配合和产出是当时技术水平下所能达到的最大产出。生产函数的上述三条假设给应用带来了很大的局限性。

作为生产函数理论的进一步发展就是前沿面生产函数理论。它是以生产系统的实际产出和投入为依据, 在一定的假设前提下运用有关理论和方法求出该生产系统的可能的最大产出, 并以它作为估算生产函数的依据。这是生产函数理论研究上的一大进步。

3.2.2 丁伯根的测算方法

丁伯根以全要素生产随时间的变化来反映生产系统效率的提高、技术的进步, 并假定 $A(t)$ 具体变化形式为

$$A(t) = \exp(rt) \tag{3-6}$$

此时的生产函数形式为

$$Y(t) = \exp(rt)K_t^{\alpha} \cdot L_t^{1-\alpha} \tag{3-7}$$

由这一生产函数反映的生产系统, 资金产出弹性是常数, 规模报酬的影响归入全要素生产率 $A(t)$ 的变化, 全要素生产率或科技进步水平的变化具有特定的形式:

$$Y(t) = A(t) \cdot K_t^{\alpha} \cdot L_t^{1-\alpha} \tag{3-8}$$

满足或近似地满足上述条件的生产系统可用丁伯根的测算方法来研究科技进

步问题。可见其应用同 C-D 函数一样，局限性很大。

3.2.3 索洛的"余值法"

索洛的"余值法"对生产函数的具体形式没有要求，这是一大进步。他在生产系统的技术进步属于希克斯中性形式[①]的假设前提下，推导出了一般形式生产函数的增长速度方程：

$$Y = a + \alpha k + \beta l \tag{3-9}$$

式中，a 即为全要素生产率的相对变化率，并把它作为科技进步率来考虑。

应用索洛"余值法"的假设前提除了科技进步形式是希克斯中性技术以外，还假定要素的产出弹性 α、β 不随时间而变化。

严格地说，任何生产系统的 α、β 都是随时间而变化的。因此，索洛的"余值法"只能用于 α、β 随时间的变化不太明显的生产系统或在一个较短的时期内应用。

3.2.4 前沿面生产函数

前沿面生产函数是针对生产函数在应用中存在的局限性，在生产函数理论的基础上发展起来的。前沿面生产函数表达的是最优状态下的最优投入产出关系，它所描述的是理想的资源配置状况。传统的生产函数法则是以实际的资源配置状况来代替理想的资源配置状况，真正理想的资源配置状况却难以得出。1957 年，英国剑桥大学 M. J. Farrel 首次从投入的角度运用前沿生产函数提出技术效率、价格效率和效率生产函数的概念，这对运用前沿生产函数来研究、测度企业、产业部门、国家的资源配置效率进而将全要素生产率的变化分解为资源配置效率变化、技术水平变化等方面内容，并探索影响全要素生产率变化的具体原因具有重要意义。

前沿生产函数是根据已知的一组投入、产出的观察值定义投入产出的一切可能组合的外部边界，使得所有投入产出观察值组成的坐标都位于这个边界的"下方"，而且与其尽可能地靠近。技术效率是指生产要素的使用效率或使用强度。每个企业都有各自的生产前沿面，其实际的产出与前沿面所表示的最大可能产出之间存在一定的差距。这一差距就反映了效率上的损失，而生产前沿面所表示的产出则是该企业的科技进步水平。因此，可用它来研究科技进步问题。这种方法

---

① 所谓希克斯中性技术指技术进步造成等产量曲线移动而不改变要素使用比例，表现为当资金装备率 K/L 不变时，要素 K 和 L 的边际产出比也不变。中性技术是劳动节约型技术和土地节约型技术并重的技术。它的进步会引致土地与劳动同比例的节约，即土地－劳动组合的最佳比例在技术进步前后保持不变。

的优点在于，其研究过程中使用的数据不必受到过多的限制，应该是比较符合实际状况的，研究具有现实的意义。

估计前沿生产函数的方法可分为三类，即确定性的、概率的和随机的方法。确定性的方法使用样本期内观察值的全体样本，但是限制所有观察点包含于前沿面上或前沿之下。这个方法最接近于前沿生产函数的理论上的概念，但是，它对观察值的误差比较敏感。概率的方法允许有效的观察点在前沿面的上面，但是这些在前沿之上的观察点的百分比是预先指定的。而随机方法指定了被估计前沿的误差结构中的纯随机偏差和概率分布。概率法和随机法基本上是想要减少被估计的前沿对真正的随机误差的敏感性。

前沿生产函数的参数方法是沿袭了传统的生产函数估计思想，首先根据需要确定或构造一种具体的生产函数形式，然后通过适当的方法估计位于生产前沿上的函数参数的构造。

生产前沿面的非参数方法无需构造具体的生产函数，避免了参数方法中由于参数估计带来的一系列问题。常用的非参数方法是由著名的运筹学家 Charnes、Cooper 和 Rhodes 等人于 1978 年提出，以相对效率概念为基础发展起来的一种效率评价方法即数据包络分析方法（DEA 方法）。

3.3　粮食全要素生产率测算模型

一般采用 C-D 生产函数来测定经济增长中全要素生产率的贡献，该方法经济意义明确、方法简单。但是函数要求在其他要素投入不变的情况下，连续追加某一要素的投入，产出递增的速度减慢，这种现象在技术条件不变的情况下是存在的。函数的这一特性对于考察一段时期内企业投入产出的关系有明显的经济意义，但不大适合长期现象的评估。另外该生产函数假定资本和劳动投入之间具有恒定的替代关系，且市场完全竞争及追求最大利润，该方法只能反映粮食全要素生产率的静态变化，因此，在运用过程中存在一定的局限性和不足。

Malmquist 指数法是通过 R. W. Shephard（1953，1970）提出的投入产出距离函数来定义的，它可以用来建立多产出多投入的技术描述形式，并可以转化成比较方便的参数模型和非参数模型，这对于粮食产业的全要素生产率研究较为适用。本论文结合粮食产业具体情况，以 DEA 模型构造前沿生产函数，运用建立在距离函数基础上的非参数 Malmquist 指数来反映我国各省 1994 ~ 1999 年、1999 ~ 2004 年粮食全要素生产率的变化状况，并通过分解该指数讨论我国粮食产业全要素生产率变化的原因及地区差异。

3.3.1 Malmquist 指数的定义

若考虑在投入确定条件下，描述产出可扩展性的产出距离函数。假设向量 X 表示投入量，$X = (X_1, X_2, \cdots, X_n)$；向量 Y 表示产出向量，$Y = (Y_1, Y_2, \cdots, Y_n)$；产出距离函数在多产出情形下最小值可能无法得到，较严格的定义需要使用"下确界"来代替最小值，即产出距离函数应该表示为

$$D_o(X, Y) = \inf_\theta \{\theta : (X, Y/\theta) \in P(X)\} \tag{3-10}$$

式中，$P(Y)$ 表示可行产出集，$P(X) = \{(X, Y): X\ 能够生产出\ Y\}$；$\theta$ 可作为产出效率的度量，$\theta = 1$ 时说明资源配置有效，$\theta < 1$ 说明资源配置的非有效性。可以看出，产出距离函数在规模效率不变的情况下，可以用单投入单产出（图 3-1）或两产出（图 3-2）的情况来解释。

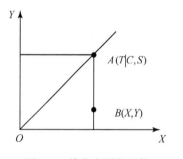

图 3-1 单产出距离函数

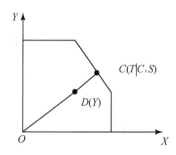

图 3-2 两产出距离函数

在没有效率损失的情况下，产出应达到 A 点或 C 点即生产前沿面，效率损失使得实际产出为 B 点或 D 点。由于产出距离函数把投入作为保持不变的外生变量，从而最大产出可以扩张到 $Y/D_o(X, Y)$。因此，产出距离函数表示产出向生产前沿面的最大限度扩张。

为导出 Malmquist 指数，首先考虑单投入单产出的基本情形，同时假定已有 t 和 $t+1$ 两个时期的投入产出数据，用 (X_t, Y_t) 和 (X_{t+1}, Y_{t+1}) 分别表示时期 t 和时期 $t+1$ 的投入产出量。结合图 3-3 可知，t 时期技术 T_t 为参照的 Malmquist 数量指数定义为

$$M_t = \frac{D_t(X_{t+1}, Y_{t+1})}{D_t(X_t, Y_t)} = \frac{l_{od}/l_{oe}}{l_{oa}/l_{ob}} \tag{3-11}$$

类似的 $t+1$ 时期技术 T_{t+1} 为参照构造的 Malmquist 数量指数为

$$M_{t+1} = \frac{D_{t+1}(X_{t+1}, Y_{t+1})}{D_{t+1}(X_t, Y_t)} = \frac{l_{od}/l_{of}}{l_{oa}/l_{oc}} \tag{3-12}$$

在图 3-3 中，$D(T_{t+1} \mid C, S)$ 表示在 $t+1$ 时期 T_{t+1} 技术条件下的生产前沿

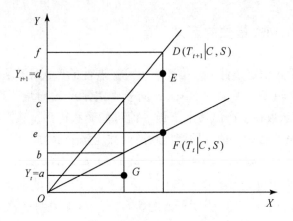

图 3-3　产出角度的 Malmquist 生产率指数

面，E 表示 $t+1$ 时期 T_{t+1} 技术条件下的实际产出；$F\ (T_t\mid C,\ S)$ 表示在 t 时期 T_t 技术条件下的生产前沿面，G 表示在 t 时期 T_t 技术条件下的实际产出。

仿照 Fisher（费希尔）理想指数的构造方法，可运用式（3-11）和式（3-12）的几何平均值，作为度量 t 时期到 $t+1$ 时期生产率变化的 Malmquist 生产率指数 $M_{t,t+1}$，即

$$M_{t,t+1}=\left[\frac{D_t(X_{t+1},Y_{t+1})}{D_t(X_t,Y_t)}\cdot\frac{D_{t+1}(X_{t+1},Y_{t+1})}{D_{t+1}(X_t,Y_t)}\right]^{\frac{1}{2}}=\left[\frac{l_{od}}{l_{oe}}\cdot\frac{l_{ob}}{l_{oa}}\cdot\frac{l_{od}}{l_{of}}\cdot\frac{l_{oc}}{l_{oa}}\right]^{\frac{1}{2}} \quad (3\text{-}13)$$

3.3.2　Malmquist 指数的分解

在规模报酬不变的情况下，Malmquist 指数 $M_{t,t+1}$ 可以分解为技术变化指数和技术效率变化指数（图 3-3）。其计算公式如下

$$M_{t,t+1}=\underbrace{\left[\frac{D_t(X_{t+1},Y_{t+1})}{D_{t+1}(X_{t+1},Y_{t+1})}\cdot\frac{D_t(X_t,Y_t)}{D_{t+1}(X_t,Y_t)}\right]^{\frac{1}{2}}}_{\text{技术变化指数}}\cdot\underbrace{\frac{D_{t+1}(X_{t+1},Y_{t+1})}{D_t(X_t,Y_t)}}_{\text{技术效率指数}}$$

$$=\left[\frac{l_{of}}{l_{oe}}\cdot\frac{l_{oc}}{l_{ob}}\right]^{\frac{1}{2}}\cdot\frac{l_{od}/l_{of}}{l_{oa}/l_{ob}} \quad (3\text{-}14)$$

当规模效率发生变化时，技术效率指数可进一步分解为纯技术效率指数和规模效率指数（图 3-4）。在图 3-4 中，生产前沿面由 TC 表示规模不变的技术水平，TV 表示在规模变化条件下的技术水平。

在生产点 G，规模和技术同时保证了有效性（G 点在规模效率恒常线上），生产点 J 和 K 都没有保证产出的规模有效性，生产点 J 因产出太小达不到规模有效性（L 点在 M 点下方），生产点 K 因产出太大也不能实现规模有效性［I 点在

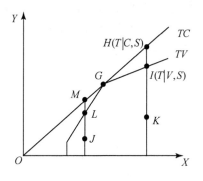

图 3-4　产出规模效率

$H(T|C, S)$ 点下方]。

$$\frac{D_{t+1}(X_{t+1}, Y_{t+1})}{D_t(X_t, Y_t)} = \frac{D_{t+1}(X_{t+1}, Y_{t+1} \mid V, S)}{D_t(X_t, Y_t \mid V, S)}$$
$$\cdot \frac{D_{t+1}(X_{t+1}, Y_{t+1} \mid C, S)/D_{t+1}(X_{t+1}, Y_{t+1} \mid V, S)}{D_t(X_t, Y_t \mid C, S)/D_t(X_t, Y_t \mid V, S)} \quad (3\text{-}15)$$

式中，左边为效率变化（为了区分，称为综合技术效率变化），右边第 1 部分表示规模效率变化，第 2 部分表示纯技术效率变化，C 代表不变规模报酬，V 代表可变规模报酬。

　　因此，Malmquist 指数可分解为技术变化指数、纯技术效率指数和规模效率指数。其计算公式如下：

$$M_{t, t+1} = \left[\underbrace{\frac{D_t(X_{t+1}, Y_{t+1})}{D_{t+1}(X_{t+1}, Y_{t+1})} \cdot \frac{D_t(X_t, Y_t)}{D_{t+1}(X_t, Y_t)}}_{\text{技术变化指数}} \right]^{\frac{1}{2}} \cdot \underbrace{\frac{D_{t+1}(X_{t+1}, Y_{t+1} \mid V, S)}{D_t(X_t, Y_t \mid V, S)}}_{\text{规模效率指数}}$$
$$\cdot \underbrace{\frac{D_{t+1}(X_{t+1}, Y_{t+1} \mid C, S)/D_{t+1}(X_{t+1}, Y_{t+1} \mid V, S)}{D_t(X_t, Y_t \mid C, S)/D_t(X_t, Y_t \mid V, S)}}_{\text{纯技术效率指数}} \quad (3\text{-}16)$$

式中，$D(X, Y \mid V, S)$ 表示在规模报酬发生变化条件下的产出距离函数；$D(X, Y \mid C, S)$ 表示在规模报酬不变条件下的产出距离函数[①]。

　　Malmquist 指数的分解表明，TFP 增长是技术进步与综合技术效率提高综合作用的结果，而综合技术效率则是纯技术效率与规模效率的综合体现，规模效率的变化反映投入增长对全要素生产率变化的影响，纯技术效率反映生产领域中技术更新速度的快慢和技术推广的有效程度。当 Malmquist 指数 $M_{t+1} = (X_t, Y_t,$

　　[①]　当把技术设定为不变规模报酬时，技术效率的含义为综合效率（纯技术效率×规模效率）；而当把技术设定为可变规模报酬时，考察的只是生产单元的纯技术效率。比较在两种不同规模报酬条件下的效率，可以计算出规模效率的大小。具体可参见吴方卫、孟令杰、熊诗平（2000）的讨论。

X_{t+1}，Y_{t+1}）>1 时，全要素生产率水平提高。构成 Malmquist 生产率指数的 3 个变化率具有类似的特性，即当某一变化率大于 1 时，表明其是全要素生产率增长的源泉；反之，则是导致全要素生产率降低的根源。

3.3.3 DEA 介绍

计算 Malmquist 指数的关键是求出距离函数。运用 DEA（data envelopment analysis，数据包络分析）非参数方法求距离函数，避开了在选择边界生产函数的具体形式和变量时，所遇到函数模型选择方面的问题及对随机变量分布假设选择的问题，并且在技术描述形式为多投入和多产出时能以实物的形式表示，避开价格体系不合理等非技术因素对距离函数的影响，是一种较为理想的方法。

数据包络分析方法是 1978 年美国著名运筹学家 A. Charnes、W. W. Cooper 和 E. Rhodes 等以效率概念为基础发展起来一种效率评价方法，是运筹学的新的研究领域，它非常好地表现了非参数方法的内涵。DEA 方法以"相对效率"和 Pareto 优化为基础、以规划理论为工具，通过产出量（投入量）的等高概念，用已知决策单元（decision making unit，DMU）的线性组合构造生产前沿边界，将"有效性"的内涵理解为"最优性"，来比较各 DMU 之间的相对有效性。将 DEA 方法用于技术效率测算，与参数测算方法相比有如下优点（李发勇，2005）：

（1）适用范围广

DEA 可以用来处理多投入多产出的效率测算与评价问题，而且可以通过调整目标函数测算不同指标，通过增减约束条件解决决策单元规模、资源特点等对技术效率测算的影响，因而 DEA 在经济、科技、文化等不同领域都具有很强的应用价值。

（2）"最优性"本质

传统的统计方法是从大量样本数据中分析出样本集合整体的一般情况，DEA 则是从大量样本数据中分析出样本集合中处于相对最优情况的样本个体，符合生产前沿的"最优性"本质。DEA 方法在构造"有效生产前沿面"时剔除了非 DEA 有效的决策单元，从而排除了参数测算方法由于统计误差等因素对于有效生产前沿面的影响，生产前沿面上的决策单元都是 Pareto 有效的。而且 DEA 在测算若干决策单元的相对效率时注重对每一个 DMU 进行优化，逐次优化得到每个 DMU 的最优解。这样所得出的相对效率是其最优值，所得出的权重是最有利于该决策单元相对效率的，而不是对 DMU 集合的整体进行单一优化，充分考虑了 DMU 的个性特征，因而得到更切实际的评价值。

（3）计算客观而且简便

DEA 以决策单元的各个投入指标和产出指标的权重为变量进行测算，而不是预先借助于主观判定或其他方法确定指标的权重，从而避免了确定权重的误差，使得评价结果更具客观性。DEA 也不需要事先决定决策单元的具体投入产出函数形式，而参数方法常常必须确定这种关系的表达式。但通常确切的函数形式又难于确定，即使能够确定，对于单位无法统一的投入产出的各分量也难于定量描述，相关参数也是很难确定的。另外，DEA 方法可直接采用统计数据进行运算，而不像一般统计评价模型那样，需要对指标体系重新定义或需要预先对指标进行相关分析，从而避免了建立评价指标体系以及确定某一投入指标对若干产出指标的贡献率等繁琐的工作，使评价方法更具简明性和易操作性。

3.3.4 距离函数的求法

为了把这种理论工具应用到实际测度中，就要计算出投入和产出的各种距离函数，而这些距离函数要通过解第 i 个决策单元的 DEA 问题来完成。对于第 i 个决策单元，要计算从 t 时期到 $t+1$ 时期的距离函数，我们必须解 4 个线性规划问题（LP），即

$$\left[\,\mathrm{d}_O^t(y_t, x_t)\,\right]^{-1} = \max_{\varphi, \lambda} \varphi \qquad (3\text{-}17)$$
$$s.\,t\quad -\varphi y_{i,t} + Y_t \lambda \geqslant 0$$
$$x_{i,t} - X_t \lambda \geqslant 0$$
$$\lambda \geqslant 0$$

$$\left[\,\mathrm{d}_O^{t+1}(y_{t+1}, x_{t+1})\,\right]^{-1} = \max_{\varphi, \lambda} \varphi \qquad (3\text{-}18)$$
$$s.\,t.\quad -\varphi y_{i,t+1} + Y_{t+1} \lambda \geqslant 0$$
$$x_{i,t+1} - X_{t+1} \lambda \geqslant 0$$
$$\lambda \geqslant 0$$

$$\left[\,\mathrm{d}_O^t(y_{t+1}, x_{t+1})\,\right]^{-1} = \max_{\varphi, \lambda} \varphi \qquad (3\text{-}19)$$
$$s.\,t.\quad -\varphi y_{i,t+1} + Y_{t+1} \lambda \geqslant 0$$
$$x_{i,t+1} - X_{t+1} \lambda \geqslant 0$$
$$\lambda \geqslant 0$$

$$和\ \left[\,\mathrm{d}_O^{t+1}(y_t, x_t)\,\right]^{-1} = \max_{\varphi, \lambda} \varphi \qquad (3\text{-}20)$$
$$s.\,t.\quad -\varphi y_{i,t} + Y_t \lambda \geqslant 0$$
$$x_{i,t} - X_t \lambda \geqslant 0$$
$$\lambda \geqslant 0$$

用式（3-17）、式（3-18）、式（3-19）、式（3-20）计算相邻时期的距离函数，计算 1994～1999 年、1999～2004 年粮食的全要素生产率。

3.3.5 技术效率和规模效率的测算

为测算生产单元的纯技术效率水平，A. Charnes、W. W. Cooper 等在 1985 年提出了可变规模报酬（VRS）模型。设有 n 个决策单元（DMU），每个决策单元都是以 m 种投入生产 k 种产品，分别以 m 维向量 X_i 和 k 维向量 Y_i 表示第 i 个生产单元的投入量和产出量，以相对效率为基础建立的可变规模报酬模型加入松弛变量后变为

$$\min\theta_v - \varepsilon(e_1^t SA + e_2^t SB),$$

$$s.t.\begin{cases} \sum_{i=1}^{n} \lambda_i X_i + SA = \theta_v X_0 \\ \sum \lambda_i Y_i - SB = Y_0 \\ \lambda_i \geq 0, i = 1,2,\cdots,n \cdot SA \geq 0, SB \leq 0 \end{cases}$$

式中，$SA = (SA_1, SA_2, \cdots, SA_m)^T$、$SB = (SB_1, SB_2, \cdots, SB_k)^T$ 分别表示对 DMU_0 进行结构调整的松弛变量，(X_0, Y_0) 表示被评价决策单元 DMU_0 的投入和产出向量。当规划的所有最优解都满足 $\theta_v = 1$，$SA = SB = 0$ 时，则称 DMU_0 是技术有效的；若 $\theta_v = 1$ 但 $SA \neq 0$ 或 $SB \neq 0$，则称 DMU_0 是弱有效的；$\theta_v \neq 1$，DMU_0 为非技术有效。可变规模报酬模型测算的仅仅是决策单元的纯技术效率水平。

在可变规模报酬的线性规划模型去掉一个约束后，即变为不变规模报酬模型（CRS），它测算的是生产单元的综合效率（TE_c），建立在 T_c 上的投入角度的综合效率评价模型（加入松弛变量 SA 和 SB 及摄动量 ε 后）变为

$$\min\theta_c - \varepsilon(e_1^t SA + e_2^t SB),$$

$$s.t.\begin{cases} \sum_{i=1}^{n} \lambda_i X_i + SA = \theta_c X_0 \\ \sum \lambda_i Y_i - SB = Y_0 \\ \lambda_i \geq 0, i = 1,2,\cdots,n \cdot SA \geq 0, SB \leq 0 \end{cases}$$

这里 θ_c 为生产单元的综合效率，其他符号与前面定义相同，可以看出这一规划问题是在保持生产可行和产出不小于 Y_0 的条件下，尽量让投入按同一比例缩小。当规划的所有最优解都满足，$\theta_c = 1$，$SA = SB = 0$，说明在不减少产出的情况下，既无法等比例地减少各种投入，也不能个别地减少某种投入或增加某种产出，这时生产点 (X_0, Y_0) 处于技术有效状态，而当规划的最优解 $\theta_c = 1$，而 $SA \neq 0$ 或 $SB \neq 0$，此时说明某些投入量已处在最小状态，所有投入不能按同一比例减少，但仍有可能对投入或产出进行结构性调整，即在弱技术有效下，生产规模是适当的，仅存在结构问题。当 $\theta_v < 1$ 时，生产点 (X_0, Y_0) 处于技术无效状

态，表明在保持产出不小于 Y_0 的条件下，可以使得各种投入同时缩小 θ_c 倍，若 $SA \neq 0$ 或 $SB \neq 0$，还存在结构问题。

只要将在不变规模报酬假设下测得的结果 θ_c 和可变规模报酬假设下测得的 θ_v 进行比较，就可算规模效率的大小[①]。通过分别运行 CRS，VRS 的 DEA 模型得到 θ_c 和 θ_v，用它们便可以推算规模效率的水平。当 $\theta_c = \theta_v$ 时，生产单元的规模效率为 1，即生产处于最佳规模；否则生产单元的规模效率有所损失。评价生产规模报酬递减或递增用以下非增规模报酬 NIRS（non-increase returns to scale）模型：

当生产单元处于规模无效（$\theta_s < 1$）时，通过比较 θ_v 和 θ_n 就可判别生产所处的规模报酬阶段。$\theta_v = \theta_n$ 时生产处于规模报酬递减阶段；$\theta_v \neq \theta_n$ 时，生产处于规模报酬递增阶段。

3.3.6　数据来源与指标说明

本节使用的数据主要来源于《新中国五十年统计资料汇编》、《中国农村统计年鉴》（2000～2005 年），还有一部分数据来源于相关产区的统计年鉴及资料。本研究时间跨度为 1994～2004 年。

样本包括中国内地的 30 个产区，对于重庆，其存在的年份归入四川进行处理。我们选择了粮食总产量作为产出变量，在综合考虑了各种因素后，决定选用粮食播种面积、劳动力、农业机械总动力、化肥施用量（折纯量）4 个变量作为投入变量。

由于统计资料中农林牧渔劳动力、农业机械总动力和化肥使用量（折纯量）都是指所有从事农业的，没有单独针对粮食的资料，大多数研究皆采用总量指标来代替，这种替代对于同一时间段内横截面数据的研究应当是可以接受的，但因为我们所研究的时间段内各省的生产函数发生变化以及农业结构调整等因素，其偏误是很明显的。鉴于此，我们有必要设计一种权重系数将农业中用于粮食生产的劳动力、农业机械总动力和农用化肥使用量剥离出来，以便更准确地测度粮食全要素生产率。

对于粮食生产中所用到的劳动力，本节借鉴李萌（2004）的研究，将农业产值[②]占农林牧渔总产值的比例和粮食播种面积占农作物总播种面积的比例这两项

---

① 　$\theta_s = \dfrac{\theta_c}{\theta_v}$ 表示规模效率。

② 　农业包括农作物种植业和其他农业，而农作物种植又包括谷、豆类、薯类、棉、油料、糖料、麻类、烟叶、蔬菜、药材、瓜类和其他农作物的种植以及桑园、茶园、果园的生产经营，所以此种替代将会夸大粮食部门的劳动力数。

作为第一产业中粮食生产从业人员的权数。

计算公式如下

$$\frac{粮食生产}{所需劳动力} = \frac{农业产值}{农林牧渔总产值} \times \frac{粮食播种面积}{农作物播种总面积} \times 农林牧渔劳动力$$

从理论上讲，种植业部门的劳动密集程度低于畜牧业和渔业，因此，在完全竞争的市场中，用农作物产出的价值占农林牧渔总产值的比例为权数进行分解，会使种植业部门的劳动力数夸大。但是在中国农作物产出的价格受管制较多，其价格相对于畜产品和水海产品而言，往往被人为地压低。另外，粮食作物与经济作物相比较，经济作物劳动用工密集程度明显高于粮食作物，我们寄希望这一方面因素能在某种程度的相反方向上作用，并相互抵消。或许也会在一定程度上诱发偏差，但从总体上讲也不失为研究农业经济问题的一种可供选择的方法。

对于农业机械总动力和农用化肥使用量剥离，直接以粮食作物播种面积占农作物播种总面积的比例作为权数即可。其原始数据见附录1。

3.4　模型主要结果分析

3.4.1　中国粮食全要素生产率分析

从表3-1可以看出，1994～1999年全要素生产率指数下降的仅有北京、天津两个产区，即表现为粮食生产中技术退步的发生，可能原因是北京、天津作为经济发达的地区，农民出去打工的收益高于种田、种植经济作物的收益高于粮食作物，农民不愿意种植粮食作物，即使种植也不用心管理所造成的。全要素生产率增加最快的省份是广西，5年间全要素生产率指数从1增加到1.8053，年均增长16.11%，其广义的技术进步速度是相当快的。1999～2004年这5年间，全要素生产率指数下降的产区有北京、江苏、广东3个东部省、直辖市和安徽、江西、湖北、广西、海南、贵州、云南共7个中西部省、自治区，全要素生产率指数增加最快的省份是河北，5年间从1增加到1.7963，年均增长15.93%。

表3-1　中国1994～1999年、1999～2004年粮食全要素生产率地区差异

地　区	1994～1999年	1999～2004年	地　区	1994～1999年	1999～2004年
北　京	0.928 599	0.939 148	河　南	1.294 024	1.012 809
天　津	0.960 735	1.283 662	湖　北	1.190 216	0.945 575
河　北	1.147 722	1.796 337	湖　南	1.101 938	1.080 378
山　西	1.012 439	1.427 946	广　东	1.265 831	0.853 863

地　区	1994～1999 年	1999～2004 年	地　区	1994～1999 年	1999～2004 年
内蒙古	1.254 153	1.185 808	广　西	1.805 317	0.594 492
辽　宁	1.260 518	1.226 286	海　南	1.599 289	0.813 207
吉　林	1.097 406	1.014 408	四　川	1.211 813	1.054 284
黑龙江	1.114 362	1.034 542	贵　州	1.527 781	0.973 365
上　海	1.072 045	1.045 323	云　南	1.393 305	0.927 974
江　苏	1.142 1	0.984 742	西　藏	1	1.042 593
浙　江	1.099 741	1.067 452	陕　西	1.165 626	1.235 493
安　徽	1.225 634	0.953 57	甘　肃	1.231 033	1.107 904
福　建	1.124 888	1.057 438	青　海	1.546 903	1.256 571
江　西	1.343 081	0.900 152	宁　夏	1.338 948	1.164 585
山　东	1.092 601	1.085 958	新　疆	1.421 548	1.146 742

对于全国而言，1994～2004 年这 10 年间粮食全要素生产指数从 1 增加到 1.32[①]，年均增长 2.82%。当然，这里面包含了前面所提到所有影响全要素生产的因素，如生产技艺水平的上升，制度安排的进步及规模效益、替代效益等。

3.4.2　技术效率和规模效率分析

表 3-2 在投入产出比较的基础上测算了中国粮食生产省区的技术效率状况。综合技术效率得分中，有吉林、黑龙江、上海、四川、贵州、西藏和新疆 7 个产区等于 1，这些产区的粮食生产位于生产的前沿面上，即生产处于较高的技术效率水平上。13 个省区的纯技术效率得分等 1，说明我国粮食生产处于较高的纯技术效率水平，虽然中国大豆生产的纯技术效率较高，但是综合效率的得分只有 7 个省份等于 1，因为仅有 7 个省区处于规模效率最优状态，其余省区都表现出规模效率无效状态，这种状况直接影响了生产的综合效率（综合效率＝纯技术效率×规模效率），在综合效率中，处于生产前沿面上的粮食产区下降到 7 个省份。从计算 31 省区的算术平均数可知，各省区的综合效率值为 0.82，其中，纯技术效率为 0.88，规模效率为 0.93。说明我国粮食生产的纯技术效率较高，生产规模经过调整后规模效率有所提高。从表 3-2 的规模效率得分中可知，吉林、黑龙

---

①　这里的全国全要素生产是各个省份全要素生产的代数平均和，没有对其按照粮食产量进行加权平均的原因在于各省粮食产量占全国粮食产量的比例是每年都在变化的，基年选择的不一致可能会造成结果较大的差异。

江、上海、四川、贵州、西藏和新疆7个产区的规模效率等于1，说明这7个产区达到了生产规模的最佳状态，处于不变规模报酬阶段，这些产区应保持目前的规模水平。而北京、天津、重庆、青海、宁夏5个产区的规模效率处于规模报酬递增阶段，说明这些产区的生产规模较小，规模效率还有增长的空间。其余的18个产区处于规模报酬递减阶段，从其投入产出的角度分析，该产区粮食产量的高水平是由于过度的投入导致的，说明其生产的扩张超过了其规模的承受能力，规模收益呈现递减状态。

表3-2　2004年中国粮食生产效率评价

地　区	综合技术效率/%	纯技术效率/%	规模效率/%	规模报酬阶段
北　京	69.13	100.00	69.13	递增
天　津	72.15	74.38	97.00	递增
河　北	62.52	70.83	88.27	递减
山　西	63.46	66.94	94.80	递减
内蒙古	90.24	90.43	99.79	递减
辽　宁	94.59	100.00	94.59	递减
吉　林	100.00	100.00	100.00	不变
黑龙江	100.00	100.00	100.00	不变
上　海	100.00	100.00	100.00	不变
江　苏	85.75	100.00	85.75	递减
浙　江	86.57	95.96	90.21	递减
安　徽	69.43	77.53	89.55	递减
福　建	71.89	82.51	87.13	递减
江　西	97.38	97.84	99.53	递减
山　东	82.40	100.00	82.40	递减
河　南	69.85	100.00	69.85	递减
湖　北	86.48	100.00	86.48	递减
湖　南	99.62	100.00	99.62	递减
广　东	72.11	83.85	86.00	递减
广　西	65.65	69.17	94.91	递减
海　南	58.31	63.03	92.51	递减
重　庆	94.89	94.91	99.98	递增
四　川	100.00	100.00	100.00	不变
贵　州	100.00	100.00	100.00	不变
云　南	72.08	72.17	99.88	递减

中国粮食综合生产能力研究

地 区	综合技术效率/%	纯技术效率/%	规模效率/%	规模报酬阶段
西 藏	100.00	100.00	100.00	不变
陕 西	49.39	56.13	87.99	递减
甘 肃	67.35	69.51	96.89	递减
青 海	87.33	98.44	88.71	递增
宁 夏	70.78	70.90	99.83	递增
新 疆	100.00	100.00	100.00	不变

3.4.3 粮食全要素生产率 β 收敛的存在性检验

收敛性是经济增长理论中一个重要而有意义的问题，它意味着在要素边际报酬递减规律的制约下，长期内不发达地区将会赶上发达地区。在增长理论中，收敛被具体化为3个相互联系的概念：δ 收敛、绝对 β 收敛和条件 β 收敛。δ 收敛指直观上地区差异程度的缩小；绝对 β 收敛则指在趋近于稳态过程中，落后经济比发达经济增长得更快；条件 β 收敛却指经济主体的增长速度和其相对于自身稳态的距离成正比，也即初始水平越低增长速度越快。

在我国粮食全要素生产率存在地区差异的前提下，自然引起笔者关心的一个问题就是生产率落后地区能否以较快的速度提高效率？也就是落后地区能否比先进地区实现更快的粮食生产技术进步？如果能，则意味着落后地区有可能赶超先进地区。因此，本节试图通过检验我国粮食生产率增长的 β 收敛来回答这个问题。

本节利用30个省份的截面数据检验我国粮食生产率的 β 收敛。具体方法是应用普通最小二乘法估计如下的模型：

$$\frac{1}{T}\ln(A_{it}/A_{i0}) = a + b\ln(A_{i0}) + e_i$$

式中，A 为全要素生产率，用 Malmquist 生产率指数来测度，下标0代表基期，t 代表报告期，i 代表不同的经济主体；T 是检验所跨的年份，从而方程左端的经济含义为生产率的年均增长率；e_i 是随机干扰项。

根据严格的收敛定义推导可知，收敛系数的回归估计值可以用如下的公式获得：

$$\beta = -\ln(1 + bT)/T$$

根据模型的估计结果，就可以对收敛的存在性作出判断。如果 b 估计值显著，则可获得显著的 β 估计值。如果 β 为正数而且显著，则接受收敛假设。如果 β 为负数且显著则拒绝收敛假设。当收敛系数不显著时，收敛和发散都被拒绝。

表 3-3　中国粮食生产率收敛的检验结果

1999～2004 年	系　数	标准差	T 值
截距项	0.043	0.005	8.126
b	-0.073	0.027	-2.670
R^2	0.203		
F 统计量	7.131		
β	0.090 8		

由表 3-3 可知，中国粮食生产率 1999～2004 年回归结果中，系数 b 在 95%上显著，β 为正数，接受收敛假设。这就意味着中国粮食生产率存在着绝对 β 收敛，这是一个令人欣喜的结果，这意味着如果提供相应的条件，粮食生产落后地区将比粮食生产发达地区全要素生产率增加得更快，在未来时间内，粮食生产效率低的地方可以首先在增长速度进而在效率水平赶上现在粮食生产效率高的地区。众所周知，粮食效率低的地方大多位于西北、西南，是资源丰富的地区，随着全要素生产率的提高，这些地方的粮食综合生产能力将有大幅度的提高，中国粮食综合生产能力有较大的潜力。

第4章
科技进步与粮食综合生产能力

4.1 科技进步的内涵与构成因素

4.1.1 与粮食科技进步有关的几个概念

4.1.1.1 科学与技术

这是一对既有联系又有区别的概念。科学是对各种自然和社会现象及其运动、发展客观规律的系统化认识，是知识形态的生产力，是一种"纯"知识，一般不考虑直接的生产应用，不考虑如何把生产要素投入转化为产出的问题。技术是变革物质过程的手段，是决定劳动生产率的重要因素，是科学与生产之间联系的纽带，是改造和变革自然的方法，如各种工艺操作过程、方法和技能、工具与设备等。可以看出，科学与技术不是一个概念，科学是人们认识客观世界的武器，技术是人们改造客观世界的手段，根本区别在于技术具有在生产实践中的"应用性"，科学则没有。这种差别必然反映在科学与技术的经济特性上，科学是一种公有物品，技术的一部分是公有物品，另一部分则是私有物品。科学发现的价值主要是通过传播并被同行承认来确定，而专门技术，尤其是新的专门技术，通常是由个人或集团占用的，它的传播往往通过市场的买卖来实现。但科学与技术之间又紧密相连，它们互相制约、互相促进。没有科学理论的指导，技术就不会产生，没有技术成果的创造和应用，就不能推动科学的发展。从历史看，科学与技术的联系大致经历了三个阶段。一是科学落后于技术，科学与技术的联系不很紧密。二是科学赶上了技术，科学与技术紧密结合。19世纪中叶后，大机器生产方式的确立，致使单靠生产经验积累创造新技术已不能满足生产需要，迫使人们转向以科学为基础来创造新技术。此时，科学系统逐步与直接生产相分离，成为一个"相对独立"的系统，具有自身发展的内在逻辑。三是科学与技术的联系进一步密切，科学开始跑到技术的前头，技术的发展越来越依赖于科学的进步。在现代，随着科学技术化和技术科学化的趋势日益增强，科学和技术已成为一个有机的整体，已很难在它们之间画出一条明晰的分界线。因此，常把科学和技术放在一起，作为一个复合名词，简称"科技"（于永德，2005）。

4.1.1.2　科技进步与技术进步

这是两个常被混用、不加区别的概念。尤其是随着当代科学与技术一体化趋势的加强，科学与技术边界的逐步模糊，其区别愈来愈不清晰。本章在使用科技进步与技术进步概念时，并没有刻意地加以区分，行文上是可以相互替代的，只是考虑到科技进步要比技术进步的外延更宽。

从语义学的角度看，技术进步即技术的变动，英文是 technical change 或 technical progress。狭义的技术，仅指生产技术，广义的技术还包括与生产相关的组织和管理技术。在对技术进步概念的把握上，应注意以下几点：一是技术进步是个技术经济概念，是技术与经济的结合，应从技术与经济结合的角度，探求技术进步规律及其经济效应。二是技术进步是个动态经济学概念。三是技术进步是个过程，是由多个相互联系的事件组成的复杂过程。微观上，企业技术进步要经历新技术的研发（或引进）－设计试制－生产－市场实现等阶段，才算完成一个技术进步周期。宏观上，一个技术进步周期包括研究与开发、技术创新、创新扩散、产业结构的变动以及宏观调控等过程。

4.1.2　粮食科技进步的内涵

具体而言，农业科学技术是人类经验和智慧的结晶，它是在农业生产过程中，为增加农产品数量和提高农产品质量而应用的凝结在农业生产力诸要素中的各种知识和技能的总和；农业科技进步是指人们应用农业科技去实现一定目标方面所取得的进展，是一个不断地把新技术、新知识推广应用到农业生产要素中，重新组合生产要素，建立效能更优、效率更高，生产费用更低的生产科技新体系，提高农业的经济、生态、社会效益，促进农业科技水平不断递进和农业有效增长的过程。

农业技术进步的内容既包括农业生产技术进步（或者叫自然科学技术进步），也包括农业经营管理技术和服务技术（或者叫社会科学技术）进步。通常我们把只包括前者的技术进步称为狭义的农业技术进步，二者都包括在内的技术进步称为广义的农业技术进步。广义的农业技术进步既表现为农业技术（如机械技术、化学技术、生物技术等技术水平）研究与创新水平的提高和它在农业生产中的应用，又表现为管理技术、决策水平、经营技术、智力水平等的提高（如农业经济体制改革、资源的合理配置、人们进行农业生产的积极性的激发）及其用于生产的过程。

狭义上的技术进步通常指农业生产技术进步，是指技术的某种改进，并且这种改进直接提高了土地、劳动、资本的效率。本章所指的粮食技术进步是指狭义的技术进步，包括粮食生产过程中，粮食生产要素质量的提高及其组合方式的改善、生产工具的革新换代、劳动者知识技能的提高、自然资源利用范围的扩大和优化，而不包含粮食生产组织的完善、粮食生产管理水平的提高、粮食生产规模的扩大、粮食生产结构的优化、粮食生产组织的完善、管理水平的提高等。

此处的技术进步可以用经济学中的生产可能性曲线来描述，一定生产要素下的生产可能性曲线的向外扩张程度来表示科技进步的大小。

4.1.3 粮食科技进步的构成因素

农业科学技术可以分成三类：一是劳动者生产的技能性技术，即农业生产者在生物的生命过程中按照自身的某一目的进行活动的技能或能力，它与劳动者自身教育水平、专业训练和经验积累有着直接的关系；二是劳动手段的使用性技术，即劳动者通过使用新的劳动手段，如使用农业机械等提高劳动生产率的技术；三是集劳动者生产的技能性技术和劳动手段的使用性技术于一身的其他技术，即在农业生产经营过程中，通过农业经营组织革新、农业生产管理水平、资源的有效利用等方式来提高总体生产率水平的技术（刘建峰，2003）。

4.2 粮食技术进步的发展模式

4.2.1 技术进步的类型

技术进步按照 Hicks（1932）的分类可分为中性技术进步和偏向技术进步。

中性技术进步（neutral technological change）的特点是技术进步造成等产量曲线内移而不改变要素使用比例，又称中性型技术。表现为同比例增加了两种生产要素的边际产品，$MP_L^T/MP_K^T = MP_L^0/MP_K^0$。所以技术进步前后要素使用 K/L 不变。中性技术是劳动节约型技术和土地节约型技术并重的技术。它的进步会引致土地与劳动同比例的节约，即土地－劳动组合的最佳比例在技术进步前后保持不变。中型技术的采用主要是由区域性差异引起的，我国就是一个很好的例子。从资源禀赋状况看，我国农业人口多，耕地稀缺，人地关系高度紧张。但是，耕地稀缺程度在不同地区不同省份之间又存在很大的差异。例如，黑龙江省农业劳动者劳均耕地面积 1994 年约为 1.9 公顷，不仅大大超过全国农业劳动人口平均耕地面积，也明显高于世界农业劳均耕地面积，与四川、江苏一些省份相比，则无疑属于土地资源丰裕的类型。从农业发展的阶段看，我国农业整体上处于由传统农业向现代农业转变的阶段，但各个地区农业发展又极其不平衡。在中西部地区，农业还处在由传统农业向现代农业转变的起步阶段，传统农业特征相当明显；而在东部一些地区，由于非农产业的迅速增长，农业劳动力大量转移，农业中资本投入的增长和农业的企业化经营，现代农业已初露端倪。

偏向技术进步（bias technological change）指技术进步后某种生产要素的生产效率提高，进而影响两种生产要素的投入比例。偏向技术进步又分两种：一种是节约资本型技术进步（capital-technological change），$MP_L^T/MP_K^T > MP_L^0/MP_K^0$，技术进步使得 MP_L 增加更多，这时多投入劳动以替代资本是合算的；另一种是节约劳动型技术进步（labour-technological change），$MP_L^T/MP_K^T < MP_L^0/MP_K^0$，技术进步使得 MP_K 增加比 MP_L 增加要大，这是多投入资本以替代劳动是合算的。

劳动节约型技术。劳动节约主要是通过采纳机械技术来实现。在劳动力要素比较稀缺的经济中，相对较高的劳动价格会诱导农业机械技术的研究、发明、创新和采用，从而使劳动在生产过程中被部分替代。劳动节约型技术一般适用于人少地多的国家，如美国。美国是利用劳动替代型的农业机械性技术解决劳动供给约束比较成功的国家之一。美国土地资源丰富，农业土地面积和可耕地面积不仅基数大，而且增长也很快。在 1880～1980 年的 100 年的时间里，美国农业土地面积由 3.27 亿公顷增加到了 4.27 亿公顷，可耕地面积由 0.93 亿公顷增加到了 1.91 亿公顷，分别增加了将近 1 亿公顷；人均可耕地面积也由 41 公顷增加到了 238 公顷，增加了近 5 倍。但是，美国的劳动力供给是相对短缺的。1880 年美国男性农场工人数仅为 795.9 万人，而且到 1980 年，这一数目还减少到 179.2 万人，年平均减少 1.5%。在劳动力供给严重约束的情况下，美国的农业生产仍取得了巨大的发展。在 1880～1980 年，美国农业总产出以每年 1.6% 的速度增长，全要素生产率每年的增长率也达到了 0.9%，以每个男劳动力的农业产量衡量的劳动生产率也以 3.1% 的速度增长。究其原因，是因为机械化的进步增加了劳均耕地面积，从而促进了农业生产的扩展和生产率的提高。

土地节约型技术，这属于资本节约型技术的特例。土地节约主要是通过采用化肥、农药和优良品种等生物、化学措施来实现的。在土地比较稀缺的经济中，由于土地相对其他生产要素而言是稀缺的，因而相对较高的土地价格会诱导生物化学技术的研究、发明、创新和采用，从而使土地在生产过程中被部分替代。土地节约型技术一般适用于地少人多的国家，如日本。日本是利用土地替代型的农业生物化学性技术解决土地供给约束比较成功的国家之一。日本国土面积小，土地资源十分有限，其农业土地面积和可耕地面积小，增长缓慢。1880 年日本农业土地面积和可耕地面积分别仅为 55.09 万公顷和 4749 万公顷，到 1980 年也只是分别增加到了 57.29 万公顷和 54.61 公顷，年增长率仅为 0.1%。但是，日本的劳动力资源相对于土地资源是比较丰富的。这主要表现在土地价格和劳动力价格比例的变化上。在 1880～1980 年的大部分时间里，其土地价格相对于劳动力的价格是不断上升的。如1880年一个日本农场工人为购买1公顷的耕地必须工作的天数是1559天，而到1960年，农场工人为购买1公顷的耕地必须工作的天数增加到了3216天。在土地供给严重约束的条件下，同美国一样，日本农业生产也取得了巨大的发展。在1880~1980年，日本农业总产出也以每年1.6%的速度增长，全要素生产率每年的增长率也达到了0.996%，以每个男劳动力的农业产量衡量的劳动生产率也以2.796%的速度增长。日本农业能够快速发展的原因，主要是由于生物化学技术的进步，即种子的改良提高了农业产量对较高施肥水平的反应，因而即便存在土地供给约束，仍然也可以使农业产量迅速增长。

我国目前农业发展采用的是劳动节约的机械性技术和土地节约的生物化学技术并重的技术。从实际发展结果看，这种非均衡、动态式、中性型技术变革道路适合我国当前农业发展阶段和发展目标要求，既适应了我国农业资源禀赋的特点，又兼顾了资源条件的区域性差异。

4.2.2 具体的粮食技术

4.2.2.1 粮食作物育种技术

自20世纪80年代始，我国就开始了远缘杂交与染色体工程、植物组织培养与细胞工程育种、基因工程育种、诱变育种、杂种优势利用方面的基础研究。近年来又开展了空间育种技术的研究和应用，形成了一个涵盖育种基础理论研究、生物高技术研究、新品种选育及其推广的完整的科研体系。我国共培育出40多种农作物，近5000个高产、优质、抗性强的新品种、新组合，使主要农作物品种更新了4或5次，每更新一次的增产幅度可达10%~30%。粮食作物单产已由1950年的1.16吨/公顷增加到4.40吨/公顷，提高了2.8倍。目前，我国的粮食良种覆盖率达95%。2001年，我国完成的水稻基因组"工作框架图"研究居于世界领先水平（王征兵，2002）。

4.2.2.2 粮食作物生产技术

几十年来，我国持续开展以作物栽培、科学施肥、灌溉排水、植物保护和耕作机械化为主的粮食科技攻关，在相关领域取得了可喜的成绩。通过对多熟种植技术的大力研究和推广，我国的耕地复种指数由1949年的128%增加到1995年的157.8%，近半个世纪增加约30%。在施用有机肥料的基础下，我国积极生产、推广使用化学肥料，广泛推广了配方施肥，研制成功各种化肥新剂型、新品种，在农业增产中发挥了积极作用。在节水灌溉技术方面，发展了喷灌、微喷灌等技术；近年来还采用了抗旱作物和耐旱品种与耕作保墒、增肥和集雨补灌等实用技术集成，初步形成了粮食和经济作物的抗旱丰产栽培技术体系。防治病虫害预测模型的研制和应用，有效地控制了病虫害发生及危害强度，每年挽回大量经济损失。以小麦、玉米、水稻等粮食作物为重点研制出了土壤耕作机、插秧机、播种机、大型联合收割机、脱粒机等机械化农具，农机总动力近 5000 亿瓦特，每公顷 3.45 千瓦，比世界平均值高出 1 倍。

4.2.2.3　粮食储运和加工技术

基础性研究方面，包括储粮害虫、粮油微生物，粮油品质和品种资源调查研究，粮食储藏品质变化规律，粮堆生态系统研究；储粮应用技术方面，主要有全调储粮技术、低温储粮技术、机械通风储粮技术；粮食储运装备技术开发方面，开发了鼠笼式初清筛、计量电子轨道衡、流化槽烘干机等设备。在制粉科技方面，研制生产了主要单机和不同规模的配套设备；碾米技术方面，加强了新型高效清理、除尘、谷糙分离设备的研制；饲料加工方面，研制开发了多种饲料加工设备，加工工艺也由单一饲料发展到混合料、全价配合饲料；淀粉加工方面，研制开发成功了管束干燥机、一级负压气流干燥等设备，并完善了适合我国国情的淀粉生产技术。

4.2.2.4　粮食科技信息化技术

我国目前已建立农业数据库 71 个，其中中国农作物种质资源数据库为粮食品种改良和更新提供了全方位的信息；已开发出作物产量气候统计模拟模型、遗传育种软件包、作物施肥程序包等应用软件；研制出用于指导小麦、水稻、玉米等，品种选育的农业专业系统和粮食生产销售管理信息系统，并广泛应用于粮食生产经营。

4.3　科技进步对粮食综合生产能力的影响

4.3.1　科技对粮食综合生产能力的促进作用

在过去半个世纪中，我国的粮食生产取得了辉煌的成绩，粮食生产能力连上 4 个台阶，达到 5 亿吨的历史新高度，为我国特殊历史时期的人口供养和经济社会发展提供了强有力的支撑。尽管我们面临着耕地、水资源等方面的限制，粮食生产能力继续增长的态势仍旧是可观的。各种预测表明，我国可望在未来 10 年内粮食生产能力再上一个台阶，到 2020 年达到 6 亿吨的水平。当然，实现这目标绝非易事。按照过去的经验，提高粮食生产能力的办法大致可分为 3 个方面：一是制度和政策创新；二是科技进步；三是物质和劳动的投入。制度和政策对提高粮食生产能力曾经起过关键性作用，然而由于其影响力并不必然具有时间上的连续性，一旦经过转型期而进入一个制度稳定期后，对粮食生产的贡献力度就会降下来。物质和劳动的投入从总体上已经逐渐走出其贡献高峰而成为一个相对减少的贡献因素。只有科学技术会对未来的粮食增长产生持久的推动力，其贡献份额将继续增加。在我国科技进步贡献率不高的情况下，科技促进未来粮食增长的潜力较大。据预测，"十五"期间全国农业科技进步贡献率将达到50%左右，再过五年即2015年可望达到60%的水平。科技进步对于粮食综合生产能力的提高主要体现在下列方面。

4.3.1.1　科技进步可以提高有限资源要素的利用率

无论是大量新技术的诞生，还是改变原有技术的应用方式，都会提高粮食生产过程中资源配置效益，从而产生重大作用。例如，采用配方施肥一般可使各种作物增产8%～15%，高的可达20%，比传统施肥方法节约肥料约15%；节水灌溉和旱作农业技术可使单位农产品的平均耗水量减少一半，相当于把灌溉面积扩大了一倍（姜志德等，2004）。

4.3.1.2　科学技术可以通过改善粮食作物生长条件而扩大种植区域

推行粮食生产设施栽培技术，可强化作物生活要素调控力度、改善作物生产条件、促进粮食持续增产。如实施塑料薄膜覆盖后，土壤一般可增温2～5℃，覆盖期内地表积温增加200～300℃，可弥补我国高寒地带及大部分地区早春、晚秋及冬季温度低、积温不足的缺陷，从而使作物适宜耕作区的纬度向北推移2°～4°，向高海拔推进1000～2000米。

4.3.1.3　科技进步可通过不断提高作物品种的生产性能而增加产量、改善品质

从目前科技发展动态来看，可以通过品种间杂交育种、现代分子育种技术等单项或综合途径实现众多有利基因聚合，从而培育出超高产优质品种。我国目前正在进行的水稻超高产（超级稻）育种，已育成1季亩产800kg左右的品种，进一步研究可望使1季亩产达到900kg，比现有品种在单产上提高近1倍，必将带来水稻生产的飞跃（王征兵，2004）。

4.3.2　中国粮食技术进步现状

农业技术进步包括农业科学技术的研究与制作、转化与推广、投入与应用等各个方面和环节（谢自奋、洪民荣，1997）。新中国成立以来，从总体上说，我国的农业技术进步取得了很大发展：

第一，农业科研成果显著，有些甚至是突破性的，在世界上居于前列。例

如，杂交水稻即是在我国最早培育成功和应用生产。目前，我国每年取得的农业科研成果超过 6000 项，其中植物细胞组织培养达到国际先进水平，单倍体育种和应用研究处于国际领先地位，基因工程、生物工程和家畜胚胎移植工程较快发展。

第二，初步形成了农业科研、教育和推广体系。我国已拥有近 12 万名科研人员的农业科研队伍、上百万人的农业技术推广队伍和大批农民技术人员，建有 500 多所农科中专和 2000 多所县级农业广播电视学校，以及遍布县、乡、村的农业技术推广与服务机构（或组织）和 16 万多个农村专业技术协会。

第三，农业生产的技术水平和手段较大提高。1995 年与 1952 年相比，我国农业机械总动力从 18 万千瓦增加到 36 118 万千瓦，平均每亩耕地拥有农机动力 253 瓦（折合 0.3 马力），达到很高的水平；化肥投入由 7.8 万吨增加到 3594 万吨，平均每亩达到 25 千克，高于世界平均水平 3.6 倍。

对于粮食生产中技术进步问题定量描述，我们可以通过上一章对于全要素生产率的分解得出 1994～1999 年、1999～2004 年这两段时间的技术进步，列于表 4-1。

表 4-1　1994～1999 年、1999～2004 年全国各省份技术进步情况

地　区	1994～1999 年	1999～2004 年	地　区	1994～1999 年	1999～2004 年
北　京	1. 127 505	1. 129 499	河　南	1. 191 581	1. 003 908
天　津	1. 358 538	1. 096 115	湖　北	1. 150 043	1. 045 267
河　北	1. 226 549	1. 013 563	湖　南	1. 196 801	0. 973 872
山　西	1. 378 289	0. 986 1	广　东	1. 164 926	0. 999 765
内蒙古	1. 308 054	1. 488 52	广　西	1. 093 27	0. 987 153
辽　宁	1. 220 213	1. 044 21	海　南	1. 263 812	1. 103 45
吉　林	1. 097 406	1. 038 044	四　川	1. 308 287	0. 980 403
黑龙江	1. 196 379	1. 401 103	贵　州	1. 361 059	1. 006 235
上　海	1. 070 012	1. 045 323	云　南	1. 295 559	0. 958 852
江　苏	1. 140 968	1. 035 44	西　藏	1	1. 042 593
浙　江	1. 226 834	0. 957 117	陕　西	1. 216 244	0. 999 763
安　徽	1. 243 934	1. 005 544	甘　肃	1. 452 653	0. 931 583
福　建	1. 243 038	1. 019 683	青　海	1. 331 887	1. 314 53
江　西	1. 100 976	1. 060 649	宁　夏	1. 303 248	1. 081 302
山　东	1. 178 713	1. 014 564	新　疆	1. 138 196	1. 130 533

1994～2004年全国粮食技术进步为29.65%，年均技术进步为2.63%[①]，这还是比较符合中国粮食生产实际情况的，同时也表明，中国粮食全要素生产率增长中大部分归功于技术进步，属于技术效率方面的贡献较小。1994～1999年，技术进步最慢的是西藏，5年间技术进步停滞不前；技术进步最快的是内蒙古，5年间技术进步了48.85%，年均技术进步8.28%。1999～2004年湖南、广东、广西、四川、云南、陕西、甘肃这几个产区发生了技术退步，主要是因为这几年粮食结构性过剩，农业结构调整、退耕还林和耕地抛荒引起。

4.3.3 中国粮食科技存在问题

当今新的世界农业科技革命突飞猛进，生物技术、信息技术和新材料的应用，使得农业科技取得重大进步。尽管我国已经初步形成了比较健全的农业科研和技术推广服务体系，研发和推广了一批优良品种和综合配套技术，为粮食增长作出巨大贡献。但是我国粮食技术进步与农业发达国家相比，还有较大差距，突出表现在下列方面。

4.3.3.1 农业科研投入严重不足，结构不合理

从纵向比较看，自1985年以后我国农业科研经费徘徊不前，甚至扣除物价上涨因素外实际上呈负增长（吴敬学，2004）；从横向比较看，我国农业科研投资占农业总产值的0.2%左右，低于世界平均1%的水平。科研投入不足制约着我国农业科研水平和科技储备，导致近年来我国缺乏类似杂交水稻、地膜覆盖等重大科技突破。

在1988～1997年，我国农业科研政府投资强度年平均增长率为负2.47%，投资强度平均为0.193%，1997年后有所增加，2002年达到0.339%，但2003年又下降到0.312%，还不到1981～1985年期间世界平均水平（0.76%）的一半，也明显低于低收入国家的平均水平（0.35%）（翟虎渠，2005）。农业科技投入在财政中所占比例从1980年的12.4%，下降到1997年的8.9%，这个比例远低于农业在国内生产总值中所占的比例。

事实上，我国农业科研投资的回报率高达70%～110%，比美国、澳大利亚、印度等国家高一倍左右。据研究，我国科技储备量每增加1%，粮食生产可增产0.4%～0.5%，如不尽快增加农业科研投资，我们将没有足够的科研成果储备来适应21世纪粮食发展的需要。当前，我国农业已无法回避来自资源、环境和市场日益严峻的挑战。黄季焜博士认为，出路在于既提高单产又降低成本，根本途

---

① 这里的全国技术进步也是指各个省份技术进步的代数平均和。

径在于增加科技投入。

4.3.3.2　农业科技应用进程减缓

农业科技向现实生产力转化能力弱、农业技术成果产业化程度低，依然是制约我国农业生产与农村经济发展的一大障碍。"八五"以来，我国每年都有5000～6000项农业科技成果问世，但成果转化率只有40%左右，而真正形成规模的不到30%（吴敬学，2004），这与发达国家70%以上的农业科技成果转化率相比还有较大距离。科技成果转化慢、产业化程度低是制约我国农业科技进步的一个关键环节，也是导致科技与经济脱节的一个重要因素。

我国的农技推广投资强度一直徘徊在0.42%左右，不仅低于工业化国家的平均水平，而且低于低收入国家的平均水平，低于20世纪90年代末期亚太地区57个发展中国家0.56%的平均水平。这种状况在县乡两级尤为突出。2002年初全国乡镇推广机构中差额拨款和自收自支的机构占机构总数的47.8%，县乡两级农技推广机构人均财政拨款不到1万元。到目前为止，有关政策法规对各级财政负担推广经费没有明确规定，县乡两级财政承担了推广经费的70%以上，推广经费日益紧张，推广体系极不稳定（吴敬学，2004）。

4.3.3.3　农业科技体制变革滞后

我国的农业科技体制是在计划经济体制下建立和发展起来的，形成了资金上以财政拨款为主、运行上以事业单位为主导的行政型技术进步机制。显然，由于农业技术进步研究周期长、见效慢，因而农业技术进步不可能脱离政府的支持和帮助；但是，随着我国经济的愈益商品化和市场化，纯粹或过多地依靠政府乃至由政府直接承担运转职能，农业技术进步在动能和效率上都不可避免地会发生问题或存在局限，如科研资金匮乏、研究与应用脱节等，以致在一定程度上反而成为技术进步的制约因素。

农业技术推广作为科技创新与成果转化体系的重要组成部分，担负着促进农村社会科技水平进步的重要任务。由于投入及机制等原因，国家公益性农业科技推广体系的主体地位不突出，导致基础设施落后、功能不强、自我发展缺乏后劲。同时作为农业科技推广体系组成部分的农业科技企业、专业协会、技术中介等非政府或经营性的农业推广服务组织起步晚、基础差、发展慢，不能满足市场多元化的服务需求，难以发挥对政府公益性农业技术推广组织的补充作用，在农业科技推广和扩散过程中发挥的作用不够，与发达国家相比差距悬殊。

4.3.3.4　农民科技素质整体偏低，组织化程度不高

农民是农业生产的主体，也是农业科学技术转化的重要载体，农民科技文化

素质的高低直接决定着农业生产力的发展水平。目前，我国农民平均受教育年限不足 7 年，而发达国家已达到 12～14 年；全国 92% 的文盲、半文盲在农村，农村劳动力中小学文化程度和文盲半、文盲占 40.31%，高中以上文化程度占 11.62%，具有大专以上文化水平的仅占 0.15%，接受过农业职业教育的不足 5%。这种大数量、低素质的劳动力，严重制约着农业劳动效率的提高，影响了农村经济的发展、农民的增收和现代农业的建设。另外，由于我国农民的组织化程度低，各种专业技术协会和专业性服务组织服务能力不强，一定程度上减弱了农户对技术创新的需求和对新技术成果的吸纳能力。当前我国在农民科技培训及农村人力资源开发方面，还远远不能满足建设现代农业和发展农村经济的需要。主要原因：一是认识不到位和投入不足。我国农村有 4.8 亿劳动力，直接从事农业生产的农民有 3.2 亿人，但农民科技培训经费严重不足，没有稳定的投入渠道。二是体系和机制不健全。我国虽然已初步建立了农民科技培训体系，但投入、激励、监督机制不健全，体系的运行机制、组织协调、统筹规划、条件建设、理论研究等还亟待完善和加强（吴敬学，2004）。

4.4　保护和提高我国粮食综合生产能力的科技政策

4.4.1　增强粮食科研投入力度，增加粮食科研成果的蓄积

政府在"科教兴国"的总体框架中要加大农业科研的份额，继续保持政府对农业科研财政拨款的主渠道地位，并根据国情和长期发展规划有重点地扶持某些研究领域。尽管我国将 2003 年定为全国农业科技年，并在全国范围内展开了科技兴农的行动计划，高油大豆、专用玉米、专用小麦等优势农产品科技行动也已先期启动。但由于粮食技术创新与其对粮食生产的影响之间存在较长的滞后期，粮食公共科研支出下降的影响在相当时期内都不会明显表现出来，因此目前必须加大政府对粮食科研投入的扶持力度。

建立一整套增加粮食科研投入的投资、监督责任机制。要建立一整套科学可行的粮食科研评价指标体系，做好农业科研成果评估工作，从而提高粮食科研资金投入产出效率。有专家建议可考虑建立类似"米袋子省长负责制"的粮食科研资金责任制。

要切实深化粮食科研体制改革，多渠道筹集粮食科研经费。实际上，公共投资与私人投资具有很强的互补性。公共投资主要从事基础研究和准应用技术研究，而私人投资主要从事实用性技术开发。目前私人资本在粮食科技投入中的作用日益重要，政府应该从政策上鼓励和支持民间资金的进入，促进粮食科研投资主体的进一步多元化。例如，进行农业科技单位的股份合作制改革试点，鼓励私

营企业和外国公司参与农业科技投资，建立有关知识产权保护制度等（王秀东等，2005）。

4.4.2 建立健全科研成果商品化、产业化的转换机制

我国的农业科技推广体系是在传统计划经济体制下发展起来的，其运行机制都是按照计划经济模式建立起来的，选择什么项目推广，推广范围多大，主要表现为政府行为，不能适应市场化发展要求。在市场经济体制下，农户作为农业生产的微观主体，生产经营什么，选择什么技术，理应成为农户自己的权力，而行政式推广方式，剥夺了农户作为市场主体的权力，使农民只能被动地接受推广技术，造成推广效率低下。而且政府、农业科研单位、农业协会、企业等推广主体间缺乏有效的协调和沟通，弱化了农户应用科技的积极性及主动性。重科研、轻推广的传统观念导致了目前农业科技成果转化率仅为30%～40%，成果转化的普及率也仅有30%左右。再加上农村基层政府行政管理的改革在一定程度上导致了农村科技推广体系的"线断、网破、人散"局面的加重。

改革和完善农业科技推广体系，切实加强以科技和信息服务为重点的农业社会化服务，充分调动科技人员、农民和企业推广农业科技的积极性和创造性，实行专业队伍与农民组织相结合、政府主导与市场引导相结合、无偿服务与有偿服务相结合的方式，逐步提高粮食科技成果转化率和科技进步贡献率，已成为我国粮食发展的必由之路。

首先要适应市场经济要求，完善多层次、多元化推广体系。国家应制定相应政策，从制度上保障农业科技推广的正常运行。目前，适应市场要求的，以政府农技推广部门为主体的，农业科研教育、农协组织、公司或企业共同参与的农技推广体系已经形成，并初具规模，各地要因地制宜，选择不同的推广模式，或多种模式，实现政府行为、科技行为与农民行为相结合，科学研究、技术推广与生产需求相结合。政府部门的推广体系要转变观念，改变等任务、靠项目、要经费的做法，主动适应市场，从而促进农业生产力的不断提高。

其次要实行分类推广，建立一个分工明确、竞争有序的农业科技推广体系。鉴于农业技术的特殊性，必须进行明确的、系统的、科学的分类，对于不同类型的农业技术，由不同的推广组织进行承担。对于需求弹性比较大的农产品，可由生产者或企业出资进行推广；对于弹性比较小，又涉及国计民生的农产品的生产技术，必须由政府进行承担。

最后要加强各推广体系之间的协作与联系。农业科技推广是一个复杂的社会系统，需要各部门齐心协力，才能形成强大的合力。鉴于目前形成的多元化的推广体系，必须由政府去协调和统筹管理，改变目前的政出多门、联系松散甚至脱

节的现象，可设立推广委员会或联络办公室，由科研、教学、推广、农民、企业有关人员组成，加强联系，建立正常的双向沟通渠道，形成以各种利益为纽带的联合体。

4.4.3 大力推广适用农业技术

4.4.3.1 发展节水技术

我们生产单位粮食的用水量是以色列的 2.32 倍。搞好节水技术革命，是我国经济社会发展的迫切需要，也是我国粮食生产资源约束下发展粮食生产、提高粮食生产能力的长远抉择。首先，从源头抓起，充分利用水库、湖泊、塘堰、水窖等保存水资源，提高土壤的储水能力，抓好调水工作，在水资源的再分配方面进行一场科技革命；其次，通过工程节水（渠道防渗、管道输水）、农艺节水（减少泡田时间和水分渗漏、减少土壤表面水分蒸发、非充分灌溉、干湿交替灌溉）、地面灌溉节水（变传统的沟畦灌水，改进地面灌溉、沟灌技术、畦灌技术和膜上灌技术）、管理措施节水（重视田间水管理和农民的参与）等节水措施，节约用水；最后，加快粮食抗旱品种的选育，一方面提高了农业用水的利用效率，另一方面抗旱品种的抗逆性大为增加，提高了对环境的适应性，可大大提高作物的生产力并进而提高粮食的综合生产能力。

4.4.3.2 加强粮食生产重大科研项目研究和一般科技普及相结合，开创粮食生产科技进步新局面

当前和今后一个时期，要集中人力、物力、财力，抓紧进行农业科技重大科研项目的攻关，增强农业科技储备能力；同时，要积极组织力量，加大技术培训和推广力度，进行一些实用技术推广应用，重点是推广小麦精量、半精量播种技术，氮肥后移技术，小麦垄作技术，水稻免耕抛秧技术，稻鸭共育等新型栽培技术，以及玉米控氮增磷高产栽培技术、大豆垄作平播技术等，通过科技的普及，提高粮食生产的科技进步能力，确保国家粮食综合生产能力。

4.4.3.3 发展精准农业

精准农业，又叫精确农业，是未来农业的雏形，是近年来国际上农业科学研究的热点领域，其含义是按照田间每一操作单元的具体条件，精细准确地调整各项土壤和作物管理措施，更充分地利用土地、光、热、水、气等自然资源，以及劳动力、技术、资金等社会资源，最大限度地优化使用各项农业投入，以获取最高、最佳的产量和效益，同时保护农业生态环境，保护土地等农业自然资源。

精准农业技术体系针对我国人多地少的特点，可以对单位面积上的农作物实

行劳动力、技术、资金的密集和时空的密集。在目前我国粮食生产资金相对缺乏的条件下，依靠多投入活劳动（劳动密集）实现单产的提高。今后应广泛推广各种高效益技术（技术密集）以提高粮食生产的经济效益，如黑龙江讷河县通过改进种植方式取得显著成效，小麦种植由一次播种改为交叉或错行重播，提高经济效益43.9%（王秀东、王永春，2005）；提高复种指数（时空密集）以降低对粮食生产所需土地的依赖。

精准农业充分利用现代科学技术，提高农业土地、劳动力等资源的配置效率，符合中国的国情，是中国农业的必然选择。

4.4.4　提高农民科学技术水平

4.4.4.1　加强农村义务教育

种粮农民是粮食生产的主体，科学技术的实施需要通过农民来实现。农民文化程度是农民科学文化素质的重要衡量标准，是农民自身全面素质形成的基础，也是不断提高农民生产技能和思想道德素质的基本前提。

我国农民自20世纪80年代以来，已经由小学文化程度为主转变为以初中文化程度为主，但与我国农业发展的总体要求还不大适应，因此，加强农村教育特别是农村义务教育对于提高农民文化程度和科技素质，长远提高粮食综合生产能力方面意义非常。

必须深化农村教育改革，发展农村职业教育和成人教育，推进"三教统筹"和"农科教结合"；落实"以县为主"的农村义务教育管理体制；建立健全助学制度，扶持农村家庭经济困难学生接受义务教育，加强中、小学教师队伍建设，实施农村中小学现代远程教育计划等。

4.4.4.2　加强对农民的科技培训和科技服务

2004年农业部提出，今后一个时期，要加大技术培训和推广力度，在"四大粮食作物综合生产能力科技提升试点行动"中，要以农民增收为核心，综合统筹考虑"三农"问题，强调扩大农民培训内容，在13个实施省份的农民培训中，增加优势产品重大示范推广专项和跨世纪青年农民科技培训工程投资规模，注重农民粮食生产技术水平提高和科技提升，在玉米、小麦、大豆、水稻等优势产区推广重大关键技术措施。通过科技的普及，提高粮食单产水平，确保国家粮食综合生产能力。各级政府组织农业科技人员带技术、带成果下乡，开展培训、咨询、示范、推广服务。积极组织科技人员到粮食产区进行科技培训，提高粮食产区种粮农民的生产技术和科技素质，促进农民增收。

第5章
宏观粮食政策、农民种粮积极性与粮食综合生产能力

宏观政策是影响中国粮食生产的决定性因素之一。在中国，农民从事粮食生产的积极性主要靠国家政策来调动，不仅在计划经济时代是这样，就是在国家对农民经营活动不直接干预的社会主义市场经济中仍然是这样（胡小平，2001）。

宏观政策对粮食生产的作用主要表现为制度安排和短期的调控政策。制度变迁主要从对生产的激励、投入效率和技术采用等方面对粮食生产产生影响。例如，家庭联产承包责任制的实施极大地调动了广大农民的生产积极性，在整个改革期间，此项制度创新对粮食生产增长的影响因作物而异，基本都为30% ~ 35% 。在制度相对稳定的时期，短期调控政策的调整对粮食生产的影响也是十分明显的。例如，由于对1982 ~ 1984 年连续几年粮食大丰收的形式估计过于乐观以及对造成"仓容危机"的性质判断错误，1985 年国家开始实施粮食收购"倒三七"[①] 比例价，结果导致当年粮食播种面积比1984 年减少6058 万亩，粮食减产280 亿千克，减幅达6.92% 。为了改变粮食产量徘徊不前的状况，国家从1989 年起开始大幅度提高粮食收购价格，因此1990 年粮食获得大丰收，粮食总产量达到了1984 年的水平，比1989 年增产3689 万吨，增幅达9.5% 。1991 年开始的国家调低粮价，导致1991 年粮食产量比1990 年减少了将近5% ；而从1994 年开始连续两年大幅度提高粮食定购价行为，又导致1996 年粮食产量达到4.9 亿吨的大丰收。开始于2004 年的对粮农"直接补贴"，直接导致2005 年在粮食连续4 年减产后首次的产量增加。虽然，这几次粮食生产的波动与粮食面积变化、自然灾害发生等亦有关系，但是政策变化对粮食生产的影响是不容忽视的。在未来我国粮食生产过程中，制度的重新安排和政策的调整将会对粮食生产，甚至粮食安全问题产生重大影响。

农民在粮食生产过程中，其生产决策——粮食播种面积的分配和要素的投入的依据是粮食价格预期，更深入地说是粮食种植的收入预期。粮食生产者在预测未来的市场价格时，必然会有意识或者下意识地运用一切可能的信息，尤其是农

---

① 所谓"倒三七"是指在合同收购农民粮食过程中，三成执行原统购价，七成执行原超购价。

民的实际所得价格。并且随时间的推移，他们会逐渐学会判断各种信息的利用价值，进行修正加以综合利用，从而形成对下期农产品价格的预期，也即市场会教育农民以何种价格作为决策依据（钟甫宁等，1993）。农民预期的形成基于各种价格信息的组合和经验的权重分配。

而宏观政策之所以能左右中国的粮食生产并进而影响粮食综合生产能力，除去国家直接加大对粮食生产的投入、改善基础设施条件外，最大可能是释放一定的价格或其他信号以引导农民个体加大对粮食生产的投入以增加粮食供给，提高或保护粮食综合生产能力。因此，本章内容如下展开：一是阐述1980年以来中国政府的粮食宏观政策；二是构建C-D函数，测定制度（政策）对中国粮食综合生产能力的贡献；三是论述农民对政策的反应机制；四是论述粮食"直接补贴"的效率、问题与重构。

5.1 制度与中国的粮食政策

5.1.1 制度与政策

制度一词，在中国思想史上久已有之。长期以来特指政治上的规模法度和统治者为被统治者治定的行为规范[①]。经济学文献对制度的解释是同凡伯伦（T. W. Veblen）、米契尔（Wesly C. Mitchell）、康芒斯（J. R. Commons）、哈耶克（F. A. Hayek）、舒尔茨（T. W. Schultz）、科斯（R. H. Coase）、诺思（D. C. North）等的研究工作密切相连的，由此形成了制度的多种分析视角。

"制度"这个概念可以用于许多不同的方面，如经济、政治、社会等。各种类型的制度都具有规则性、系统性和规律性的特点。换言之，它表现为构成项目的统一图式或有规则的排列。在最一般意义上，制度是构成统一整体的各个项目相互依存或相互影响的综合体或图式（阿兰·G. 格鲁奇，1985）。凡勃伦（1982）认为：制度实质上是个人或社会对有关某些关系或某些作用的一般思想习惯，即制度无非是一种自然习俗。由于习惯化与被人广泛接受，习俗已经成为一种公理化和必不可少的东西。制度必须随环境的变化而变化，是生存竞争和淘汰适应过程的结果。而康芒斯（1956）则认为制度无非是集体行动控制个人行动。

"政"是众人的事，"策"是策略或方针。政策是有关国计民生各种措施的方针（尹树生，1979）。也即它是个人、团体或国家在具体情境下的行动指南或

---

① 制度一词在《商君书·壹言》中有"凡将立国，制度不可不察也"，《汉书·元帝记》中有"汉家自有制度，本以霸、王道杂之"。

准则。其表现形式不外乎法令、措施、条例、计划、方案、规划等。从政策目标来看，其主要解决社会上多数人的问题，为社会上多数人或特殊的利益集团谋福利。

农业政策是经济政策的一个组成部分，其地位和重要性因国而异、因时而殊。大致而言，在产业革命以前，各国经济政策的重心多置于农业政策，而在此后，工业逐渐发展，各国施政的重点移向工业领域，农业一度变成工业的附庸而被忽视。第一次世界大战以后，农业的重要性再度被各国认识，农业政策又被各政府重视。不论各国农业政策的内容如何不同，但有一点是相同的：即农业政策的制定一方面要根据国家社会经济建设的总目标，另一方面要正视并充分考虑这个国家农业发展的现实状况。因为一国的农业政策不是为农民个人解决问题，而是为农民全体甚至全体人民增进福利，因此，它的制定必须符合国家经济建设发展总体规划。另外，政策是付诸实施的策略、方针，那就必须从实际出发，而不能凭空想象。基于此，我们可以将农业政策界定为：国家为发展农业，以增进农民和全体人民的福利而施行的一种经济政策，它是政府施政农业的手段。

具体到粮食生产和流通领域，主要表现为土地所有权制度、农业生产组织制度和粮食购销体制等。

5.1.2　1980 年以来中国的粮食宏观政策

5.1.2.1　家庭联产承包责任制（1978 年至今）

延续二十多年的人民公社制度长期压抑着农民的积极性，农民生活困难，温饱问题得不到解决，农村经济面临崩溃。家庭联产承包责任制正是在原制度无法继续的情况下，由农民冒着生命危险创造的。家庭联产承包责任制的改革，就是以家庭经营形式代替"一大二公"的集体经营，土地等生产资料交由农民支配，农民家庭成为独立经营、自担风险的主体。它是继 1978 年安徽省滁州市的农民开始打破"人民公社制"，探索出包产到户的办法后，凤阳县小岗生产队首创了包产到户的责任制形式。由于这项制度安排带来的利润远远超过了成本，各地农民有意识地维持并积极推进这项新制度。这一新制度可以称是典型的需求诱致型[①]制度变迁方式（卢现祥，1996），因为它真正是从基层部分农民的自发创新开始，然后逐步向决策层传递制度需求的信息，经过决策者对制度变迁的成本和预期收益衡量后，才在全国大范围开展的。这一制度变迁极大地提高了种粮农民的积极性，为农业、农村经济的发展注入了活力。1978 年和 1979 年我国的粮食

---

① 诱致性制度变迁指的是现行制度安排的变更与替代，或者是新制度安排的创造，它是由个人或一群（个）人，在响应获利机会时自发倡导、组织或实行。

产量分别达到了30 477万吨和33 211万吨，分别比1977年增加了2204万吨和4938.5万吨。目前，这一制度仍在不断完善和发展中，统分结合的双层经营体制就是在家庭联产承包责任制基础上形成和发展起来的，它是家庭联产承包责任制的完善与发展。统分结合的双层经营体制可以将农户难以单独承担的生产环节由集体经济组织统一进行，从而保证农业生产的顺利进行。

5.1.2.2 粮食流通体制改革

我国的粮食流通体制改革，主要是为了适应社会主义市场经济发展要求，因此该过程可以说是一种诱致型的制度变迁过程。到目前为止，我国的粮食流通体制改革可以分为5个阶段：

1）第一阶段是1978～1984年，粮食政策调整并没有触及统购统销体制，而只是由传统的统购统销向议购议销转化，主要是调整粮食收购数量和价格。

2）第二阶段是1985～1990年，粮食政策调整开始触及统购统销体制，统购制度解体，粮食价格双轨制形成。改革以后，农村家庭联产承包责任制有力地促进了农村经济的发展和粮食生产，为在计划经济下形成的"统购统销"的粮食流通制度向市场经济体制下的粮食流通制度变迁奠定了经济基础。从1985年开始，我国以合同定购制度取代了统购统销制度。主要原因是我国粮食连续获得多年丰收，特别是1990年，粮食产量比上一年增加了3869.4万吨，是我国相邻两年粮食产量增加最大的年份，从而形成了粮食相对过剩的局面。合同定购制度的内容是先由商业部门与农民签订定购合同，定购的粮食国家按"倒三七"比例计价（三成原统购价，七成原超购价），在完成国家粮食定购合同之后，剩余的粮食可以自由上市。如果市场价格低于原统购价格，国家仍按原统购价敞开收购。这种粮食保护价格制度多次采用而不断完善，"对于稳定合同定购和调动农民种粮积极性，以促进粮食生产，具有十分重要的意义"。

3）第三阶段是1991～1993年，粮食统购统销体制解体，"保量放价"政策出台。与之相应的是，粮食补贴由补贴粮食企业经营费用和购销差价且以后者为主的方式开始转向补贴粮食企业等流通环节。

4）第四阶段是1994～1997年，粮食流通体制实行"米袋子"省长负责制，提高粮食定购价格，这一时期的粮食部门改革也开始加快，粮食经营实行政策性业务和商业性经营两条线运行机制，业务、机构和人员彻底分开，1997年国家出台了按保护价敞开收购农民余粮的措施。

20世纪90年代以来，由于地方政府对耕地保护不力，粮食播种面积减少，农业投入不断下降等因素，我国的粮食产量一直徘徊不前。特别是1994年我国的粮食播种面积由1993年的11 050.9万公顷下降到10 954.4万公顷，下降了96.5万公顷，粮食产量也由45 969万吨下降到44 510万吨，减少了1459万吨，粮食供求关系紧张。1994年5月9号《国务院关于粮食流通体制改革的通知》明确指出：实行省、自治区、直辖市政府领导负责制，负责本区的粮食问题平衡，保证粮食供应和粮价稳定。1995年3月，李鹏总理在政府工作报告中再次强调，负责"米袋子"就是负责本省的粮食供应。1995年4月《国务院关于深化粮食化肥购销体制改革的通知》中进一步明确了"米袋子"省长负责制。"米袋子"省长负责制是粮食生产管理体制的一项重大变革，这项生产管理体制政策通过落实责任制来促进各地粮食的生产，在粮食区域平衡的基础上更好地实现了全国粮食总量的平衡。"米袋子"省长负责制的实施结果表明，由于该项政策明确了中央和地方解决粮食问题上应负的责任，调动了中央和地方两个积极性，大大提高了全国粮食生产水平，特别是对经济发达地区，这一政策效应十分明显。

5) 第五阶段是1998~2004年，国家开始深化粮食管理体制改革，粮食流通政策实行"四分开一完善"、"三项政策一项改革"和"放开销区、保护产区、省长负责、加强调控"，来减少粮食库存数量，减轻政府财政补贴负担。1999年在总体上保护农民售粮利益的同时，鼓励粮食经营企业按照优质优价原则收购，通过价格信号调节农民来年的生产决策。目前，这一阶段的改革仍在进行中。

5.1.2.3 粮食直补政策

自2002年9月开始，国家试点并推行"粮食补贴方式改革（直补）"。所谓的"直补"，就是把国家通过粮食企业以"保护价"敞开收购农民粮食，以间接补贴农民的暗补方式，改为将保护价与市场价的差价以现金形式直接补给农民。

粮食"直补"政策属于诱发性制度变迁，因为政府主要是想通过对农民进行补贴，创造潜在利益，从而调动农民的种粮积极性，以保证国家的粮食安全。如2004年，国家从粮食风险基金中就拿出了100亿元资金用于粮食主产区种粮农民的直接补贴。从政策实施的效果来看，粮食"直补"政策极大地调动了农民粮食生产的积极性，确保了粮食生产的可持续发展。2004年我国粮食总产量达到4.965亿吨，粮食单产达到308千克/亩，扭转了1999年来连续5年粮食产量下降的局面，粮食单产和当年粮食增产量也创下了历史纪录。对于"直补"政策的效率、问题与完善对策本文将在下一节单独说明。

5.2 制度（政策）对粮食综合生产能力的贡献测定

从农民进行农业生产的经济诱因的角度来看，要取得农业生产的发展就需要对农民进行刺激，提高农民进行生产的积极性。始于20世纪70年代末期的大规模农业生产经营组织制度的诱致性制度变迁过程的主要贡献，在于解除了原有的生产队体制对劳动者激励的不必要的约束。林毅夫（1994a）采用28个省、自治区、直辖市 1970~1987 年的资料验证了这一时期家庭联产承包责任制的贡献。这一制度变迁过程充分利用促使农民改变自身行为的动力，确立了一个合理的有激励力的增加收入的分配制度，"交上国家的、留足集体的，剩下全部是自己的"。这种新的收入分配制度的确立，使得增加传统投入和管理注入的农民在生产完成之后可以得到一部分增产净收益。

由于农业特别是粮食产业具有公益性强、比较利益低、生产周期长、易受自然等外部因素影响的特点，农民种粮的积极性比较低。农民理性的选择就是弃农抛荒，从事其他非农产业。但是，如果农民理性选择都不从事粮食生产，那么就会出现"合成谬误"，从而导致集体非理性，造成国家粮食安全问题。而要调动农民种粮积极性、增加农民收入，除了需要增加要素投入、改进农业技术之外，另外的方法就是设计制度，通过制度变迁与创新来解决个人理性与集体理性之间的冲突，实现粮食综合生产能力的持续稳定提高。

5.2.1 模型形式与变量选择

本章的主要目的在于通过建立一个生产函数考察不同的制度安排对粮食生产和供给增长的影响，即在要素投入生产函数中引入表征制度运作和政策内容的变量，因而在模型形式选择上，我们选择了柯布－道格拉斯生产函数（Cobb-Douglas production function，C-D 函数）[1]。

传统的生产函数通常只包括土地、劳动和资本投入（或者三种要素的细分）[2]，生产函数表述的是一种纯工程技术关系，即除了更有效的生产技术运用之外，任何产出的变化在剔除随机因素的干扰外，都是投入变化的结果。而事实上生产函数所描述的还应当是一种经济关系。例如，生产过程中可变投入资源的使用水平如密集程度、生产者的预期，以及外在的干预都会影响农户的经济决策。换言之，每种可观察资源的使用密集度取决于劳动者和管理者的经济决策，这些决策是他们对制度安排、获利机会等的反应（如 Leibenstain、Caater、Mcmi-

---

① 常见的生产函数主要有四种：柯布－道格拉斯生产函数（C-D 函数）、斯皮尔曼（Spillman）生产函数、超越生产函数和超越对数生产函数（translog production function）。斯皮尔曼生产函数、超越生产函数较少使用，而超越对数生产函数在多数情况下不限制要素具有衡常的弹性，它在模型形式上也与超越生产函数相似，近年来已经成为农业经济学家估计要素替代弹性时一种颇为流行的方法。与超越生产函数一样，它的应用领域多为考虑较少的因素变量的情况下较为普遍，当考虑因素分解较细、变量过多时，其复杂的函数形式极大地限制了它的应用；而且，其突出的优越性表现在对要素替代弹性的估计方面，在不以此为主要目的的研究中，这种方法与 C-D 生产函数相比较则优越性就不再十分突出。

② 缺少第四种要素——管理的原因，一方面是其准确衡量的困难，另一方面管理所涵盖的内容多而泛，它的作用可能在一定程度上由可变投入得以部分反映，因而很少被纳入模型而进行量化分析。

lan 等)[1]。而林毅夫（1994）的研究表明家庭联产承包责任制消除了生产队体制下劳动监督困难的现象，激励了劳动者的生产积极性，这一制度变迁也导致农业生产率的显著增长。本节在传统的 C-D 生产函数中引入制度这一变量，来考虑制度安排对粮食综合生产能力的影响。

本节建立如下生产函数：

$$Y_t = g(G_t, L_t, M_t, I_t, F_t, D)$$

式中，Y 为粮食总产量，用来衡量粮食综合生产能力（单位为万吨）；t 为年份，从 1980～2004 年；G 为土地投入；L 为粮食生产的劳动力投入（单位为万人）；M 为农用机械总动力（单位为亿千瓦时）；I 为有效灌溉面积，它用来衡量农田水利建设情况（单位为千公顷）；F 为化肥使用量（单位为吨）；D 为虚拟变量，用来表示是否采用某种制度。

变量选择依据：G、L、M、F 这四项指标为农民对粮食生产的投入要素，I 用来反映国家对农业投入的变化对粮食产量的贡献，D 用来衡量某种制度对粮食产量的贡献。与以往的研究相比，本文所设置的模型形式在传统的三要素当中加入了表征制度和政策因素等通过影响管理投入而影响产出的变量，力图使之更加完美地反映粮食生产经济关系。

5.2.2　数据及整理

在实证估计中使用的数据是 1980～2004 年共 25 年中国粮食生产的常规投入和产出数据。此外，还用到了农林牧渔总产值、农业总产值和成灾面积等数据。其具体来源及处理过程分述如下：

1）粮食总产量：1980～2004 年数据均来自历年《中国农村统计年鉴》。

2）土地投入量：土地投入指标指农业生产中占用的土地资源，主要是指粮食作物生产占用的土地。首先对"土地"这类综合了经济学家视之为一切自然资源和天赋生产要素的变量不是简单地以耕地面积或者播种面积替代，而是将其影响分解为耕地面积和气候因素的影响。耕地的保有量固然对可能的播种面积有决定性的影响，但对于某种粮食作物，尤其是在人口稠密的地区，复种指数的提高在一定程度上放松了耕地面积对播种面积扩张的限制作用，因此播种面积是一个相对更合适的表征土地投入的变量（郭忠兴，1999）。另外，气候因素作为一种"天赋"的因素，其对农业生产尤其是粮食生产的影响是显著的。因此，研究中忽视气候影响的方法是不可取的。大多数考虑气候影响的研究大都直接采用成灾面积或者受灾面积表示气候的影响。但在中国，由于受灾之后可以获得一定

---

[1]　系转引自林毅夫（1994）。

的经济补偿或者承担义务（如定购粮交售等）的豁免，而且这一统计指标是通过水利部门逐级上报汇总产生的，这种体制又极易导致数据失真（郭忠兴，1999）。所以本研究中粮食播种面积指标中予以一定修正来尽可能剔除天气干扰以更加真实反映粮食生产中的土地投入，方法为用粮食受灾减收的程度来调整总土地投入指标数值，具体计算公式如下：

$$粮食净播种面积 = 粮食总播种面积 \times (1 - R \times 65\%)[①]$$

3）劳动力投入：由于统计资料无粮食生产劳动力指标，大多数研究皆采用农业劳动力代替，尤其是在传统农区、重要商品粮基地，这种替代应当说是可以接受的，但其偏误也是难免的，本身统计指标有别于经济变量，更何况代理变量。鉴于此，本节参照李萌（2004）的研究，将农业产值占农林牧渔总产值的比例和粮食播种面积占总播种的比例这两项作为第一产业中粮食生产的从业人员的权数，近似替代粮食生产的劳动力投入，计算公式如下：

$$\frac{粮食生产}{劳动力} = \frac{农业产值}{农林牧渔总产值} \times \frac{全年粮食播种面积}{全年总播种面积} \times 第一产业从业人员[②]$$

上述分解所需权重的原始资料：农业劳动力、农业产值、农林牧渔总产值～全年农作物总播种面积等皆来源于《中国农村统计年鉴》（1981～2005年）。

4）农业机械总动力、有效灌溉面积和农用化肥使用量采用年鉴上的数据，不再进行剥离与分解。

5）政策虚拟变量的选择与构建。按照上节我们的分析，家庭联产承包责任制、粮食流通体制改革和粮食直接补贴政策都会对粮食的生产和供给产生影响。鉴于农业联产承包责任制在我们的整个研究期间都一直在发挥着作用，而粮食直接补贴政策自2002年才开始试点，2004年在全国大面积展开，其对粮食生产的影响还有待进一步观察，所以我们政策虚拟变量的选择主要在粮食流通体制改革这一段时间。

粮食流通体制改革的前四个阶段，其制度实施的动力主要来自于行政推动，特别是"米袋子"省长负责制。国家从1998年开始深化粮食管理体制改革，粮食流通政策实行"四分开一完善"、"三项政策一项改革"和"放开销区、保护产区、省长负责、加强调控"，来减少粮食库存数量，减轻政府财政补贴负担。1999年在总体上保护农民售粮利益的同时，鼓励粮食经营企业按照优质优价原则收购，通过价格信号调节农民来年的生产决策。因此，本书采用政策虚拟变量表征这一制度变量，1980～1997年其值为0，1998～2004年其值为1，政策几近

① 式中粮食总播种面积即为统计年鉴上所能查到的粮食播种面积，R 为成灾面积占农作物总播种面积的比例，由于成灾面积指受灾减产三成到九成以及颗粒无收面积，因此，式中的系数65%为自然灾害导致减产程度的平均数。

② 这样处理的原因前面已有说明，此处不再赘述。

位于我们研究期间的中段[1]（各原始数据见附录2）。

5.2.3 估计结果

在对上述方程进行估计时，被解释变量和除虚拟变量外的其他解释变量皆采用自然对数的形式。同时也进行了简单的技术处理：在估计方法的选择上，我们遵循由简单到复杂的原则，以便选择最恰当的模型来描述制度和政策因素对粮食生产供给增长的贡献。

首先，从估计方程调整后的 R^2 来看，方程总体拟合能力是令人满意的，被解释变量的方差有95%以上都可以由解释变量予以解释，说明估计的模型在解释研究期间内中国粮食生产变动是有效的。其次，就各个变量系数的 t 检验值而言，模型估计的变量系数大都非常显著地不为零，且符号除有效灌溉面积外与预期基本一致[2]。

表5-1　模型回归结果

变量名称	Unstandardized Coefficients		Standardized Coefficients	T	Sig.
	B	Std. Error			
常　　数	4.389	2.441		1.798	0.088
粮食播种面积	0.641	0.181	0.256	3.547	0.002
粮食生产劳动力	0.299	0.092	0.398	3.262	0.004
有效灌溉面积	-0.774	0.201	-0.527	-3.857	0.001
农用化肥使用量	0.553	0.039	1.817	14.256	0.000
政策变量	0.036	0.021	0.136	1.759	0.095

有效灌溉面积的估计结果在方程中为负值，与最初的理论预期不一致，它说明有效灌溉面积的增加对于产量的增长于事无补。这种现象大致可以解释为：①有效灌溉面积只是降低了粮食生产的成本，而并未增加粮食产量，因为在中国

---

① 笔者也尝试将粮食直接补贴政策纳入我们的研究范畴内，但可能是因为粮食直接补贴政策的时间还比较短，出现了与预期不符的结果。

② 在模型的试算过程中，农业机械总动力因 T 检验值太小而排除在模型之外，可能的原因有：一、改革以来，构成这一指标的主要是农村四轮拖拉机的保有量。由于农村非农产业尤其是建筑业、运输业的发展，农民利用农业机械从事非农生产成为农民收入的一个很重要的来源，这在一定程度上刺激了农民对农业动力机械的需求，也加大了按地域范围统计的农业机械总动力这一指标在反映粮食生产机械化水平方面的失真程度。二、改革之初，集体经济拥有的大型农业动力机械因不适合在细碎化的耕地上使用，而被迫同粮食生产脱离而转作他用，如用于集体经济时期的东方红75履带式拖拉机大多被转用于土地整理和江河整治等（郭忠兴，1999）。三、农业机械总动力和化肥施用量、有效灌溉面积等都是投入，可能存在着共线性。

目前大部分省份农民干旱的时候会自发地进行灌溉；②某种程度上反映了中国水利设施年久失修，尽管包含在统计数据之内，而其实并没有发挥出应有的对粮食增产的作用。

除有效灌溉面积外，其他常规的投入产出弹性也与预期相符，但与前人（林毅夫，1994；郭忠兴，1999）等的研究相比，存在一定差别。土地的生产弹性与林毅夫、郭忠兴等的估计结果相近，但劳动力与化肥的生产弹性明显偏高，出现这种现象的大致原因可以归结为如下几个方面：①代理变量选择的差别。代理变量都被赋予一定的经济含义，不同代理变量的选择其含义和解释可以相同，但并不能掩盖其存在的差别。林毅夫农业总产值为被解释变量，而本书则选择了粮食的总产量。另外，土地代理变量也存在差别。②研究的期间和范围存在差别。估计结果所反映的是研究对象一定时期内要素的平均弹性。因此，若研究对象所涵盖的范围以及研究期间存在差别，那么估计的结果存在差异也是可能的。③函数的形式和估计方法的差别。研究的侧重点不同，会引起模型变量取舍以及模型形式设定的差别。前述几项研究以及本研究在变量取舍和估计方法都不完全相同。④数据处理方法的差别。如在无细分统计指标的前提下，选择整体统计指标替代，是研究中常用的一种方法。但与采用某种方式加权处理之后的结果是有差别的。

5.2.4　简单的结论

本节通过建立一个包含制度和政策变量的生产函数模型，并利用其估计的结果对影响粮食生产的诸因素进行分解分析，得出如下结论：

1）制度和政策因素影响粮食作用是显著的。起始于 1998 年的粮食流通体制改革是趋于市场化的，其对粮食生产的影响也是显著的。

2）对于粮食生产而言，在传统的要素投入中，对其产量影响最大的是播种面积的变动，而不是化肥等其他投入。土地投入的产出弹性最大，为 0.641，这意味着无论是保证中国粮食生产增长还是稳定，最重要的是引导农民生产决策中土地资源在粮食作物与经济作物之间以及粮食作物内部的分配决策，它应当成为今后农业政策间接调控的目标。农业生产是一个连续的动态过程，作为分散的小规模农户在播种之后出现粮食市场价格低迷，乃至化肥、农药、劳动力投入的边际产出明显低于边际成本的情况下仍增加投入是因为：农户的前期投入决定了后期投入选择的机会成本，如在粮食生产发生病虫害的情况下，是否施用农药的选择的机会成本是前期投入（含土地、水、化肥、劳动力等）的函数，也即在特定的农业生产环境条件下，各种要素的组合效率是有差别的。

3）各种能促进常规投入增加的政策都是可以提高粮食综合生产能力的，这为粮食综合生产能力的投入政策提供了理论方面的基础，也是本书没有特别另列一章分析投入要素对粮食综合生产能力影响的原因。

5.3 农户"理性"经济行为与粮食综合生产能力

5.3.1 农户的理性

占全国总人口70%的农业人口是农业生产的主体,占全国总户数69%的2.3亿农户是农业生产的主体。农户是主要的农业生产组织,农户在农业生产、资源与环境的协调中起着不可忽视的作用,农户经济行为是否合理,某种程度上决定了粮食综合生产能力的高低。因为,政策、投入、技术等都是农户实施的,都与农户有着重要的联系。政策(制度)对粮食综合生产能力的影响是通过农户的理性选择而发生作用的。

古典经济学把人假定为"经济人",认定其行为是理性的。在亚当·斯密看来,人的理性在于他更倾向于在多项利益的比较选择中选择自我最大的利益,以最小的牺牲满足最大的需要。新古典经济理论继承和发展了古典经济学的理性人假定,对人的行为的假定包括:①个体行为达到目的而选择的行动决定是合乎理性的;②个体可以获得足够充分的关于周围环境的信息;③个体根据所获取的各方面信息进行计算与分析,选择最有利于自身利益目标的行动方案,以获得最大利润或效用(丹尼尔·贝尔,1989;汪翔,1989)。一般的,"经济人假说"被表述为:"经济人"在从事经济活动时,总是希望而且能够谋求自身经济利益的最大化,即完全理性假说(高鸿业,1996)。然而,这种思想却受到新制度经济学的批评,新制度经济学派在批评其理论时认为:在一定条件下,"经济人"的理性总是有限的,通常是"满意化"原则取代"最优化"原则,即有限理性假说(高鸿业,1996)。阿罗认为,人的行为"是有意识地理性的,但是这种理性又是有限的"。诺思对人的有限理性作了进一步的说明,认为人的有限理性体现在两个方面:一是,环境是复杂的、不确定的,交易越多,不确定越大,信息也就越完全;二是,人对环境的计算能力和认知能力是有限的,人不可能无所不知(卢现祥,1996)。

农民的反常供给反应被认为是农民"非理性"行为的典型体现,甚至追求利润最大化的"经济人"假定曾一度被认为不适用于农民。20世纪50年代,部分经济学家之所以提出了以工业为中心的发展战略,原因之一是他们普遍认为农业是停滞的、农民是愚昧的;农业充其量为工业发展提供劳动力、市场和资金。基于这种理论的指导,许多发展中国家的经济发展因忽视农业而陷入"李嘉图陷阱"。

西奥多·W. 舒尔茨在其名著《改造传统农业》中,对传统农业社会农民的愚昧、落后、对经济刺激不能作出正常反应,以及经济行为缺乏理性等应当对生

产要素配置效率低下负主要责任的观点予以驳斥。他利用社会学家对危地马拉的帕那加撒尔和印度的赛纳普尔这两个传统农业社会进行的详细调查资料证明了传统农业中的农民并不愚昧，他们对市场价格的变动能够作出迅速而正确的反应，并且他们已经通过多年的摸索实践，使现有生产要素的配置达到了最优化。

就粮农而言，虽然他们的文化程度、阅历及思想观念存在极大的差异，但他们的理性是毋庸置疑的，他们必然能够像传统经济学的假设那样，在给定的价格参数和政策背景下，最大化自己的效用。农户在生产经营过程中的任何投入，不论是劳动还是资本，都在计算着产出和回报，从而决定着投入的性质和规模。有所不同的是农户承受风险的能力，无论是心理还是实力都相当薄弱，因此其更注重规避风险（马鸿运，1993）。尽管制度（政策）对粮食综合生产能力有重要的影响和调控作用，但是在市场经济体制和农村双层经营体制下，制度（政策）的发挥一般是间接调控，即主要通过采取一定的经济手段，引导和优化微观主体的行为，进而达到调节粮食生产与提高粮食综合生产能力的目的。制度（政策）效果的能否发挥与程度大小，说到底离不开农户的参与，农户是最直接、最主要的参与者。而农户对政策的反应主要是通过两点，一是对价格信号的反应[①]，二是对收益的预期。因此，当我们要探寻农户行为对粮食综合生产能力的影响时，就需要明晰粮农的生产决策行为，为政策的制定提供理论支点。

5.3.2 农户供给反应模型

农户在粮食生产决策中对于政策的反应程度其根本取决于粮食价格，因为农户是一个追求利益最大化的个体。

5.3.2.1 边际生产理论

在完善的市场条件下，虽然农户既是粮食生产者，又是粮食消费者，但是，农户的生产行为和消费行为是可以相互分开的。我们可以把农户视为利润最大化或成本最小化的企业，如果假定农户预期的粮食市场价格为 P_m^e，投入品的市场价格为 P_x，在给定的技术水平、耕地规模和质量（Z）等条件下，农户将会选择投入量 X、产出 Y 来获得最大利润：

$$\max\pi = P_m^e \cdot Y - P_x \cdot X$$
$$Y = Y(X \mid Z)$$

满足上述最大化条件的一阶导数为

---

① 由于粮食商品自身需求弹性弱的特点以及我国农户的规模小等特征，粮食价格信号可能并不如国外那样对粮食生产和供给行为起决定作用，但粮食价格信号对我国农户行为仍有着不可忽视的影响。

$$\frac{\partial \pi}{\partial x} = P_m^e \times \frac{\partial Y}{\partial X} - P_x = 0$$

从隐函数定理可知，满足上述最大化条件的二阶导数必须小于零，即

$$\frac{\partial^2 \pi}{\partial X^2} = P_m^e \times \frac{\partial^2 Y}{\partial X^2} < 0$$

由此可以得到供给函数如下

$$Y = Y(P_m^e, P_x \mid Z)$$

因此，在边际产值等于边际成本时利润最大，农户选择此时的投入数量达到最佳。柯炳生和高小蒙等基本采用此方法得出了定购价格不影响粮食供给的结论。他们分析的基本假定是由于定购价格低于市场价格，按照上述农户在利润最大化时的决策，农户最终选择是边际成本等于市场价格的交叉点。引导农户供给行为的将是市场价格而不是定购价格。

柯炳生和高小蒙的分析中有一个关键问题需要回答，农户是依据什么价格进行生产决策的？因为他们的分析是一种静态的事后模型，农户在进行生产决策时并不知道未来的价格是多少。粮食定购价格实际上具有信号效应，它通过影响农户的价格预期来影响粮食的生产与供给。

5.3.2.2 局部调整模型和价格预期模型

农民对市场信息的反应结果一般来说就是生产的调整，尽管具有刚性特征的农业固定资产在调整生产决策时并没有发生变化，但是农民在生产调整过程中仍然必须支付一定的成本，这部分成本包括货币调整成本和心理成本。生产投入的相对固定性以及货币调整成本不可预期等因素的制约，造成粮食供求的时滞性；而传统习惯、社会文化、生产经验以及需要掌握新技术等因素的作用，使得粮农在实际产出与期望产出之间总是有一段差距，这样粮食的生产就必须支付一定的心理成本，而且差距越大，心理成本也就越大。心理成本越高，调整速度越慢。与心理成本相对应，农户在进行生产调整时也自然需要付出货币成本。

Griliches 指出农户生产决策是选择将其调整成本最小化。他将调整成本写成满足下列产量的二项式形式：

$$\min C_t = a(Y_t - Y_t^*)^2 + b(Y_t - Y_{t-1})^2, a, b > 0 \tag{5-1}$$

式中，C_t 为农户的调整成本；Y_t、Y_{t-1} 分别为 t 期和 $t-1$ 期的粮食产量；Y_t^* 为 t 期的粮食预期产量；a、b 分别为心理成本和货币成本的调整系数。

对式（5-1）求一阶导数以后得到下列等式

$$\frac{\partial C_t}{\partial Y_t} = 2a(Y_t - Y_t^*) + 2b(Y_t - Y_{t-1}) = 0$$

经过进一步变换后得到：粮食产量的实际调整数量是预期调整数量的一个比例函数，即

$$Y_t - Y_{t-1} = \rho(Y_t^* - Y_{t-1})$$

$$\rho = \frac{a}{a+b}$$

式中，ρ 为调整系数。只有当 b 等于 0 时，则不存在调整成本，农户的预期产量等于实际产量。

在上述局部调整模型中，t 期的预期产量 Y_t^* 是农户根据自己的生产条件和预期价格 P_t^* 作出决策，因此，Y_t^* 是 P_t^* 的函数。其简单的线性形式如下：

$$Y_t^* = \alpha + \beta P_t^*$$

式中，α 为截距项，β 为长期价格供给反应系数。

由于农业生产的时滞性，t 期的粮食市场价格只有在 t 期粮食生产完成后发生，因此，如何构建农户的价格预期成为估计分析粮食供给反应的主要问题之一。在现代西方经济学中，先后提出了解决这一问题的三种理论模型：幼稚预期模型、适应性预期模型和理性价格预期模型。

幼稚价格预期模型（native model）最早是由 Muth（1961）提出。这一模型假定农户不存在学习过程，只是简单地利用上年的市场价格 P_{t-1} 来进行决定。根据这个假定，可以得到下列粮食供给结构方程

$$Y_t^* = \alpha + \beta P_t^*$$

$$P_t^* = P_{t-1}$$

$$Y_t - Y_{t-1} = \rho(Y_t^* - Y_{t-1})$$

通过对上述结构方程进行数学变换后，可以得到下列供给反应的简约形式

$$Y_t = \pi_0 + \pi_1 P_{t-1} + \pi_2 Y_{t-1} \tag{5-2}$$

式中，$\pi_0 = \alpha\rho$；$\pi_1 = \beta\rho$；$\pi_2 = (1-\rho)$；π_1 为短期价格供给反应系数。从上述参数中我们可以求得粮食生产的局部调整系数和长期价格供给反应系数如下

$$\rho = 1 - \pi_2$$

$$\beta = \frac{\pi_1}{1 - \pi_2}$$

式（5-2）就是模拟中国粮食生产反应行为的局部调整模型，毫无疑问市场价格是一个内生变量，由于收购价格数量是内生决定的，所以收购价格的变化就类似于市场价格变化的影响（林毅夫，2000），所以在这个公式里也同时引入了收购价格变量。但是事实上，由于生产投入品价格的变化也影响着生产者的生产决策，所以在式（5-2）中增加生产资料价格变量，即

$$Y_t = \pi_0 + \pi_1 P_{t-1} + \pi_2 Y_{t-1} + \pi_3 P_{t-1}^* \tag{5-3}$$

式中，P_{t-1}^* 为上期生产资料的价格，同时为了消除通货膨胀的影响，模型中的价格宜采用不变价格形态。

Griliches 等对含有幼稚价格预期的局部调整模型提出批评：这种模型仅仅建

立在非常严格的资本积累问题的基础之上，并且假定了生产调整遵循一个特定的不断下降的几何分布时滞形态，同时，包含滞后一期因变量可能吸收了序列相关问题。

Nerlove（1956）假定生产者存在学习过程，从而提出了适应性价格预期模型（adaptive model）。这一模型假定生产能够根据以往的经验来校正对价格预期的判断，其基本形式如下：

$$P_t^* - P_{t-1}^* = \gamma(P_{t-1} - P_{t-1}^*) \quad 0 \leq \gamma \leq 1$$

式中，P_t^*、P_{t-1}^*分别为t期和$t-1$的预期价格；γ为适应性预期系数。如果等于1，那么，上述等式也就变成幼稚价格预期。因此，可以说幼稚价格预期是适应性价格预期的特例。

含有适应性价格预期的局部调整模型结构形式为

$$Y_t^* = \alpha + \beta P_t^*$$
$$P_t^* - P_{t-1}^* = \gamma(P_{t-1} - P_{t-1}^*)$$
$$Y_t - Y_{t-1} = \rho(Y_t^* - Y_{t-1})$$

通过对上述结构方程进行数学变换后，可以得到下列粮食供给反应的简约形式

$$Y_t = \pi_0 + \pi_1 P_{t-1} + \pi_2 Y_{t-1} + \pi_3 Y_{t-2}$$

式中，π_1为短期价格供给反应系数。由于含有适应性价格预期的局部调整模型的简约形式通常存在着识别问题，因此，需要利用结构方程估计方法来得到粮食生产的局部调整系数和长期价格供给反应系数。

大量的研究实践表明，所有用来估计农业供给反应的计量模型中，那拉维模型是应用最广泛和最成功的模型，因此，本章我们应用那拉维模型估计粮食供给反应的长期与短期弹性。

5.3.3 粮食供给反应实证模型的建立与测定

由于中国粮食种植的基础比较薄弱，自然气候和其他农户不可控制的因素对产量有很大影响，实际产量与农户合意的产量有很大的区别。采用实际播种面积指标可能比用产量指标更能反映生产者的生产行为。因此，本研究采用播种面积作为产量的替代指标。农户的种植决策是在对粮食价格不完全信息下作出的，农户的种植决定往往根据前期粮食价格和对未来价格的预期作出调整。考察供给反应最恰当的指标应该是前期价格。

假设：我国粮食种植面积的供给是上期粮食价格、上期粮食生产成本的函数，即

$$S_t = \alpha_0 + \alpha_1 S_{t-1} + \alpha_2 P_{t-1} + \alpha_3 C_{t-1}$$

式中，S_t 表示当期粮食播种面积指数；P_{t-1} 表示上年度价格指数；S_{t-1} 为上年度播种面积指数；C_{t-1} 表示上年度生产资料价格指数。

根据 1980~2003 年中国播种面积指数、粮食收购价格指数（2000 年后的数据为粮食生产价格指数）、生产资料价格指数时间序列，用最小二乘法（OLS）估计上述模型，计算结果如下：

$$\ln S_t = 0.028 + 0.997 S_{t-1} + 0.088 P_{t-1} - 0.1 C_{t-1}$$

$$(29.15) \qquad (2.17) \qquad (-2.28)$$

该方程较好地反映了粮食价格和成本的变化对播种面积变动的影响，从而验证了我们所提出的基本假设。我们看到上年度粮食价格对本年度粮食播种面积的影响弹性为 0.088，这是粮食价格对播种面积的短期影响弹性，即当粮食生产成本不变时，上年度粮食价格上涨 1%，本年度粮食播种面积将增加 0.36%。这比许多经济作物的短期弹性要小（谭砚文，2005），这反映了中国农户受自身消费的影响和转产的相对困难，粮食是大宗作物，一般不会因为价格降低而大面积转产为其他经济作物。

从粮食生产成本对面积的影响弹性来看，其短期影响弹性为 -0.1，即当不考虑粮食价格变动因素时，上年度粮食成本上涨 1%，则本年度粮食面积将减少 0.1%。

当综合考虑粮食生产资料价格和粮食收购价格共同的变动对粮食面积的影响时，我们说粮食成本的变动对面积的影响程度，要比粮食价格的变动对面积的影响程度略大，也就是在粮食价格与生产成本以同样的比例上涨时，粮食的播种面积则主要会受到成本上涨因素的影响，从而表现出本年度粮食面积的绝对减少。因此为了稳定持续地发展粮食生产，要在提高粮食收购价格（现为市场价格）的同时，注意调控粮食生产资料（如化肥、农药等）价格上涨而加大粮食的生产成本，从而影响了粮农的生产决策，造成粮食产量的降低和粮食综合生产能力的下降。

5.4 粮食"直接补贴"的效率、问题与重构

农户作为粮食生产的主体，其种植粮食的目的除了满足个人消费需要外，还应该考虑种植粮食的收益问题。作为理性个体，其种植粮食的决策过程就是其最大化收益的过程。第 5.3 节内容阐释了农户对于价格信号的反应，而其之所以能根据所预期的价格信号来决定粮食种植面积的多少，关键是粮食种植获得能力的大小，或者说是粮食种植收益的预期。本节通过 2003 年国家为了鼓励农户扩大粮食种植、生产更多优质粮食，保证粮食安全而采取的一项重要政策措施——粮食"直接补贴"来论述农户对国家粮食政策的反应，以为宏观粮食政策的制定

提供客观的、定量的依据。

5.4.1 粮食直接补贴的经济学分析：效率损失降低

世界各国都减少或取消了支持价格政策，转向对农民的直接补贴，即由对流通领域的补贴转向对生产领域的补贴，这种补贴方式的变化除了满足 WTO 规则要求、减少价格扭曲以外，另一个重要原因就是价格支持政策的补贴效率很低，而直接补贴的效率较高（王姣，2005）。

支持价格政策是政府确定一个最低收购价格，当市场价格低于这个最低收购价格时，通过进行政府收购的措施，来实现保证农民收入和稳定农产品市场的目标。由于这种政策措施是通过政府对流通环节的补贴来保证农民收入，因而补贴效率很低。据中华人民共和国财政部的测算，我国粮食保护价格政策的补贴效率只有 14%，即政府每支付 1 元钱的补贴，农民最终只能分别得 0.14 元。

图 5-1 从理论上对支持价格政策和直接补贴政策的效率损失进行了比较。由图 5-1a 可以看出，如果实行支持价格政策，并将支持价格水平确定为 P_2，这时消费者剩余损失为 P_2AEP_1；因为支持价格高于市场均衡价格，产量从 Q_1 增加到 Q_2，生产者剩余增加量为 P_2BEP_1；如果政府仅补贴维持支持价格所需增量，并不购买产品，产生的效率损失为两个三角形 ADE 和 BCE 面积之和。

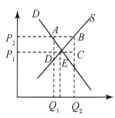 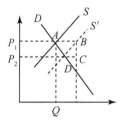

a.支持价格政策的效率损失　　　b.直接补贴的效率损失

图 5-1　支持价格政策与直接补贴政策效率损失的比较

如果为实现同样的收入目标，采取对农民直接补贴的措施，生产者的边际成本下降，实际供给曲线由 S 向下移动到 S'。消费者剩余没有发生损失，而生产者剩余增加了 P_1P_2DB，政府支付为 P_1P_2CB，社会福利损失为三角形 BCD 面积。由此可以看出：与支持价格政策相比，对生产者直接进行补贴是一种在实现同等条件下，效率相对较小的政策选择。

5.4.2 粮食直接补贴的优点

和以往的保护价收购和其他补贴措施相比，直接补贴措施的确有许多优点。

（1）直接补贴大大减轻了中央和地方政府的负担

实施补贴方式改革后，国有粮食购销企业不再承担按照政策制定的保护价收购农民粮食的义务，而是按照一个自主经营、自负盈亏的经营主体进入粮食市场，按照市场价格收购农民粮食。相应的，政策也不再对国有粮食企业收购的新粮承担任何责任，不再需要承担粮食库存的储存费用和粮食贷款的利息，以及企业因为粮食经营而出现的亏损①，政府所承担的仅仅是对农民的直接补贴数额。

以往政策对粮食补贴数量是不确定的②，主要取决于粮食企业收购粮食的数量，特别是历年粮食累计库存的多寡。1999 年以来，由于粮食价格不断走低，粮食企业库存粮食实现顺价销售几无可能，导致粮食企业粮食库存越来越多，政府所要承担的库存费用和贷款利息也必然越来越重。相比之下，对农户进行直接补贴，政府补贴数额的不确定性大大减小，而且也不存在历年的累积问题，政府负担必然会大大减轻。这也是各地积极进行粮食流通体制改革的一个重要原因。

（2）适应了 WTO 规则

粮食是关系到国计民生的特殊品，需要给予特殊保护，国际上通行的做法是对粮食生产环节给予补贴，以达到保护粮食生产能力，保障粮食供应安全的目的，对粮食流通一般不进行干预和补贴，使粮食作为商品与其他商品一样按市场机制正常流通。我国加入 WTO 后，粮食生产面临很大挑战。根据国际粮食市场供求形势，我国已没有提高粮食价格的空间，实行高粮价政策已不可行，各级财政也承担不了，而且 WTO 规则也不允许对粮食流通环节补贴。因此，我国只有实行粮食直接补贴政策，才有利于保障我国粮食安全，这也是符合 WTO "绿箱"规则的。在进一步加快粮食购销市场化进程的同时，必须尽快建立和完善适应我国国情的对粮食生产的直接补贴支持与保护体系，更有效地保护农民利益。

（3）直接补贴操作性强，减少了中间流失

2002 年开始的农村税费改革已经对农户承包土地面积、计税常产等进行了全面核查，资料健全，可信度和透明度均比较高，为向农户发放直接补贴提供了可靠的依据，也大大减少了直接补贴改革的操作成本。

另外，由于农户的计税面积或计税常产透明化程度很高，在统一的补贴标准确定的前提下，每个农户所获得的补贴量计算非常简便，这样可以避免中间环节的损失，让农民真正受益。

（4）直接补贴具有普惠性，有利于我国农业的战略性结构调整

一方面，直接补贴不与农户当年的生产、销售粮食数量挂钩，不影响农业生产结构，属于"绿箱"政策，在 WTO 农业协定中不受限制，可以避免引起贸易

---

① 在改革过渡期内，对于国有企业的原有的老库存，政府仍然要承担储存费用和贷款利息。

② 为了控制政府负担，地方政府对于粮食企业大多实行粮食风险基金包干的办法。

纠纷；另一方面，直接补贴有利于我国农业的战略性结构调整。按照计税面积或者按照计税产量发放补贴，农户不论种植何种作物，均可享受补贴，可以使农户按比较效益进行种植业结构调整，从而有利于推动我国农业结构性调整目标的实现。

5.4.3 粮食直接补贴运行中的问题

我国粮食直接补贴政策的目标应主要是提高农民的种粮积极性，确保我国的粮食安全，次要目标是提高农民收入（王姣，2005）。而在粮食直接补贴政策具体的运行过程中，这两个目标都不能达到预期。

5.4.3.1 粮食直补对提高农民的收入极其有限

微观经济学告诉我们，补贴和税收一样，无论是对生产者补贴或者对消费者补贴，其最后都会由生产者和消费者分摊。如图5-2所示，在供给曲线比需求曲线更富有价格弹性的时候，消费者更多获得补贴的收益。而实践证明，粮食的供给价格弹性大于需求价格弹性，所以国家虽然是将钱补到了农民手中，但消费者更多地得到了粮食补贴[①]。这是因为在市场经济条件

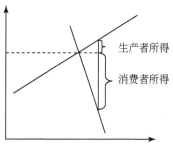

图5-2　粮食直接补贴生产者与消费者分摊图

下，商品的价格由市场关系确定，政府给予农民粮食直接补贴降低了粮食市场均衡价格，政府补贴通过市场价格的降低隐性地流给了消费者（肖国安，2005）。

5.4.3.2 粮食直补对提高农民种粮积极性收益甚微

这可以从政策和种粮农户的博弈中分析得来。博弈局中人为两方：一方是政府；另一方是粮食生产农户全体（仅考虑一个农户的行为，然后合成全体农户行为亦可，由于考虑问题与农户之间产量竞争无关，故结论一致），简称农户。政府选择粮食直接补贴资金量 f，农户选择粮食生产实物生产要素投入量 i。

设粮食生产函数为 $Y = F(i) + E$，E 是随机干扰。函数 $F(i)$ 是二阶可微凹函数，满足条件：一阶导数 $F'(i) > 0$，二阶导数 $F''(i) < 0$。这两个条件无非是投入 i 越多，产出 Y 越高，以及投入的边际产出递减的数学描述。设 Y_0 是政

---

① 具体的证明过程可参见：肖国安 . 2005. 粮食直接补贴政策的经济学解析 . 中国农村经济，（3）：12 – 17.

府的目标生产量，当然 Y_0 根据人口增长、经济发展等因素事先预测确定。先假定目标生产量 Y_0 等于社会实际需求量 Y（由于 Y 变化稳定、趋势明显，不难作出较高精度的预测）。政府的效用函数表示为 $U_1 = U_1(f, i)$，追求其最大化。具体形式如下：

$$U_1 = -f - (Y - Y_0)^2$$

事实上，$Y - Y_0 < 0$，表示供不应求，可能导致经济不稳、社会不安；$Y - Y_0 > 0$ 表示供过于求，将引起库存庞大，财政负担沉重。粮食经过长期储存后，一般会出现质量损失，对于存储部门来说是不经济的，但它的外部经济性又是显著的。因此，政府追求 $|Y - Y_0|$ 最小，也就是 $(Y - Y_0)^2$ 最小，而 $(Y - Y_0)^2$ 数学处理方便得多。f 是用于粮食直补资金的多少，起到调节效用函数中 $(Y - Y_0)^2$ 达到最小的作用。这里可以看出政府效用函数的复杂性，作为公共利益的代表，它必须满足粮食消费者的需求，同时也必须照顾粮食生产者的利益；作为社会中公务员集团它不得不考虑财政支出问题。

在模型建立之前，首先假定，农民可以把生产资源自主地安排生产粮食或其他经济作物，农民理性地追求其收益最大化。设农民的收入函数为

$$I = r_1 m + r_2(c - m) + s$$

式中，r_1 为单位土地种植粮食的收入；r_2 为单位土地种植经济作物的收入；c 为农户的土地面积；m 为粮食作物播种面积；s 为除去种植粮食作物和经济作物外的其他收入。考察现有的粮食直接补贴的方法，如果是对计税面积给予补贴，那么无论农民是否种植粮食都可以获得补贴，粮食直接补贴只是增加了农民收入函数中的 s，农民是没有动力改变原先已经形成的粮食作物和经济作物的固定比例的。

如果是对种植粮食作物面积进行补贴（对粮食产量进行补贴也是一样的），这里有一个假说：农户作为理性的"经济人"，经过长期的探索，已经基本上形成了最优的种植结构，如果农民在种植粮食和其他农作物之间是无差异的，按照种粮面积补贴，其补贴量作为边际增量，如果能够达到某一临界点，从而打破原有的均衡，可能会促使农民种植更多的粮食。而来自河北省的调查显示，每亩10 元的粮食直接补贴远没有达到改变原有均衡的量，可能的原因是，理想中边际上的均衡只会在外部条件不变的前提下实现，而这样的情况只在舒尔茨所描述的传统农业社会中才可能存在，而我国的农业生产虽然具备小农生产的特征，但却处在开放的市场条件下，生产资料或粮食价格的变化、生产技术的改进都可以打破原有的均衡，导致不同作物之间收益的较大变化，要达到不同作物之间调整的临界值需要更多的补贴（马彦丽等，2005）。

5.4.4 我国粮食直接补贴政策的完善对策

（1）要进一步提高粮食直接补贴的标准

前已述及，目前我国粮食直接补贴的量还不足以改变粮食作物和经济作物的比例，也就是说粮食直接补贴对于提高农民的种粮积极性、扩大粮食生产的效果还没有充分发挥出来。因此，要实现粮食直接补贴提高农民种粮积极性、保证国家粮食安全的目标，就必须提高粮食直接补贴的标准。具体标准应当结合中央和地方财政的支付能力、粮食价格和生产成本的变动及其他配套的补贴措施综合确定。如何进一步科学界定补贴标准，以打破当前均衡，提高农民种粮的积极性、扩大粮食生产应当是下一步研究的重点内容之一。

（2）应当继续执行粮食价格支持政策

由于目前的粮食直补政策对农民增收的贡献甚微，所以不能高估粮食直补对农民收入提高的贡献率。李成贵（2004）认为，粮食直补不能代替价格支持，虽然价格支持政策的效率低，并且与 WTO 的平等贸易规则相违背，但西方发达国家的农业补贴除了直接补贴外，并没有放弃价格支持和市场稳定政策。欧盟在实行直接补贴的同时，仅仅降低了价格支持水平；美国导入了直接补贴政策，但仍保留了无追索条款（相当于保护价）和反周期支付计划。根据国际经验，特别是考虑我国小农生产和粮食市场发育低的现实，不能简单的"改保护价收购为直接补贴"。马彦丽和杨云（2005）指出，实际上粮食价格仍然是决定我国农户种粮收入的主要影响因素，生产资料价格变动对农户种粮收入的影响也很明显，因此，健全粮食流通市场、稳定粮食价格、必要时稳定生产资料价格，或者给农民以生产补贴，仍然是提高农民收入的最重要的手段，当然，价格支持的手段必须科学化。

（3）相机抉择地运用对粮农的生产补贴和赈灾补贴

根据我国的实际情况，对粮农的补贴还应包括生产环节的补贴（如目前所实行的种子和农机补贴），以降低粮食生产成本。这项补贴应属于临时性的补贴，要不要进行补贴，主要是依据农资价格指数和粮食价格指数的比较。当粮农因粮食受灾减产歉收或绝收时，政府不仅要对其进行赈灾救济，而且还要给予必要的种粮补贴。

（4）必要时开办粮食作物保险计划和贷款率计划

所谓作物保险计划，即通过政府补贴，对主产区的大宗粮食作物提供作物保险，避免自然灾害给农户造成的损失。由于目前我国农户规模很小，对农户实际产量进行调查比较困难，为作物保险的推行，特别是灾后的补偿带来很大的困难。建议政策首先对人均土地面积较多、农户经营规模较大的东北地区，选择几个县、市先行试点，待取得成熟经验后再逐步推广。所谓贷款率计划是在收获季节按照农户的粮食产量和政策规定最低保证价格给予一定的贷款，农户可以在规定的贷款期限内选择何时以及何种方式归还贷款。如果粮食市场价格高于最低保证价格，农户可以选择时机出售自己的粮食，归还政府的贷款。如果贷款期限内粮食市场价格一直低于政府的最低保证价格，农户就把粮食按照最低保证价格出售给政府，作为政府市场调节库存的一部分。实施贷款率计划，一方面通过给农户提供资金，为农户在出售粮食的时机上提供了选择权，缓解了主产区粮食集中上市后对粮食市场价格的压力；同时也为农户提供了最低保证价格，保护主产区以粮食作为主要收入来源的农户的收入。可以在农户经营规模比较大、商品率比较高的地区先行试点，取得可操作性的经验后再逐步推广。在试点中，可以把贷款率计划与中央储备粮食公司的储备粮收购结合起来，降低贷款率计划的操作成本。需要注意的一点是，最低保证价格要合理制订，不能让最低保证价成为保护价，否则政府将不得不收购大部分粮食，背上沉重的包袱。

（5）远期来看，将"粮食直补"扩大为对整个农民的补贴

马文杰和冯中朝（2005）指出，随着我国国力的增强，终有一天，我国农业补贴的"黄箱"政策综合支持量 AMS 的额度会用完；而随着农业产业结构的调整，粮食作物和经济作物的比例也必将稳定在一个较为合理的水平，"粮食直补"也必将扩大为对整个农民的补贴。因此，远期的"粮食直补"应采用以农田面积和计税常产为依据的方式，这种方式已和农业生产和销售不挂钩，是WTO 所说的"绿箱"，我们尽可放心应用。此时，对农民的直接补贴其主要目的是增加农民的收入而不再是提高农民种粮的积极性了。

（6）将直补资金用于改善农业生产条件，减少农业生产的不确定性

我国的耕地资源总数量基本不会有大的改变，只有通过改善耕地的质量、修建农业灌溉水利设施、改良灌溉系统、避免水资源的浪费等一系列措施尽量满足农业生产所应达到的自然条件要求，通过集约化地扩大粮食单产才可能在以后保证我国粮食安全、促进农民增收。尽管说有效灌溉面积并不增加粮食总产量，但是基础设施的改善而导致的有效灌溉面积的增加可以减少粮食生产中的风险，降低粮食生产成本，增加农民的种粮收入预期。因此，在粮食直补资金所取得效果有限的情况下，不如将直补资金用于改善农业基础建设。农业生产所用的水利等基础设施具有公共产品的性质，不可能由的单个农户进行投资，所以将一定范围内，如以乡镇为单位将直补资金统合到一起，用于农业基础设施投资，保证农业生产的稳定性，会取得更好的效果。

第6章
自然灾害对粮食综合
生产能力的影响

粮食生产属于露天作业，是自然再生产与经济再生产过程的统一。粮食生产在受经济因素制约的同时，也受到诸如气候变化、降水等自然因素的影响，这其中自然灾害因素会对粮食生产产生严重干扰。可以毫不夸张地说，自然灾害是影响粮食生产的一个限制性因素。我国地理条件复杂，自然灾害种类多、发生频繁，而许多地区农田水利设施落后，抗自然灾害能力较差，粮食生产受自然灾害影响非常大，有些地区还基本处于"靠天收"的状态。这种状况对保护和提高我国粮食综合生产能力是十分不利的。

本章分析自然灾害对粮食综合生产能力的影响，指出加大投入、加强农田水利建设力度，以提高粮食综合生产能力、保障粮食安全。本章的内容如下：一、简述我国粮食自然灾害的类型及 20 世纪 80 年代以来粮食受灾面积的时序变化，对我国自然灾害对粮食生产的影响有一个感性认识；二、运用 Pearson 相关分析法，从时间和横截面两个方面论证自然灾害对粮食综合生产能力的显著影响；三、分析粮食产量变化的影响因素，构建一个以粮食产量变化率为因变量的多元回归模型，在此模型里，成灾面积的变化对粮食产量变化的影响极其显著；四、在前述分析的基础上，指出保护和提高我国粮食综合生产能力应加强农田水利等基础设施建设，以增强抵御自然灾害的能力。至于加强农田水利等基础设施建设的政策措施，我们将在后面的章节作进一步详细的论述。

6.1　我国粮食自然灾害类型及
20 世纪 80 年代以来的受灾变迁

6.1.1　我国自然灾害类型及特点

灾害（disaster）是灾害系统相互作用的产物，在中国常用灾情（hazard

effect 或 disaster situation）来表示①。中国处在世界两大自然灾害带交汇的地区（环太平洋带、北半球中纬度带），是世界上自然灾害严重的少数国家之一（史培军，1995），有"三岁一饥，六岁一衰，十二岁一荒"之说（彭珂珊等，1996），灾害种类多、受灾面积②广、成灾比例大，它不仅给人民生命、财产造成损失，也成为发展国民经济的一大制约因素。

如表 6-1 所示，我国自然灾害按致灾因子可分为 7 大类 24 种类，与世界其他国家自然灾害致灾因子相比，除火山喷发、热波、饥荒外，我国均有（史培军，1995）。因此，可以认为我国自然灾害致灾因子的种类多是我国自然灾害的一个显著特点。

表 6-1　中国主要自然灾害致灾因子

自然致灾因子类	自然致灾因子（灾种）
地震灾害	地震
气象灾害	旱、涝、台风、飓风、龙卷风、冷害
海洋灾害	海啸、风暴潮、巨浪、海冰、赤潮
洪水灾害	洪水
地质灾害	崩塌、滑坡、泥石流、地裂缝
农作物生物灾害	病害、虫害、草害
森林灾害	病害、虫害、鼠害、火灾

资料来源：国家科委全国重大自然灾害综合研究组，1994

另外，灾情严重也是我国自然灾害的突出特点。1991 年夏季江淮流域发生的特大洪灾，受灾面积 0.21 亿公顷，损失 725 亿元。1998 年全国农作物受灾5014.5 万公顷，成灾 2518.1 万公顷，绝收 761.4 万公顷，各类损失达 3007.4 亿元，水灾 2550.9 亿元，死亡 5000 余人。2003 年夏季淮河流域的水灾，到当年 7月 10 日，灾情就使安徽、江苏、河南 3 省农作物受灾面积达到 390.5 万公顷（绝收 79.8 万公顷），受灾人口达 4751.8 万人，有 231.2 万人被洪水围困，紧急转移安置 84.3 万人、死亡 16 人，3 省损失 181.7 亿元。2004 年秋季南方发生了干旱程度为 1953 年以来之最的旱灾，截至当年 11 月 3 日，已造成经济损失 40 亿

---

① 灾害与致灾因子（hazard）有本质的区别，但常常在文献中混为一谈。在 1994 年 5 月日本横滨召开的世界减灾大会（world conference on natural disaster reduction）上，对致灾因子与灾害有明确的定义，即致灾因子为可能引起人民生命伤亡及财产损失和资源破坏的各种自然与人文因素，而灾害则是因为致灾因子所造成的人员伤亡、财产损失与资源破坏的情况（史培军，1995）。

② 统计部门统计灾情时，凡因灾减产 10%（通常所说的一成）以上的面积均计为受灾面积；其中，因灾减产 30%（通常所说的三成）以上的面积称为成灾面积。

元，720多万人出现了饮水困难。

6.1.2 粮食生产自然灾害[①]

按致灾因子，农业自然灾害主要有下几类：①农业气象灾害。由对农业生产不利的气象条件形成的自然灾害，如干旱、洪涝、冷害、冻害、霜冻、风灾、雹灾、热害及冰雪灾害等，这是农业生产中所遇到最常见的自然灾害，每年统计年鉴上的受灾面积、成灾面积也大部分是因为这些。②农业地质灾害。由于地质条件变化对农业生产造成的危害，如泥石流、滑坡、地裂、地面下沉、崩塌等。③农业生物灾害。指由有害生物引起的灾害，如植物病、虫害、草害、鼠害、动物疫病、动物寄生虫等。④农业生态环境灾害。由于农业自然生态环境改变造成对农业生物的危害，如水土流失、土地荒漠化等。全球变化和人类活动引起的紫外辐射增强和生物多样性锐减也被认为是农业生态环境灾害。⑤农业土壤灾害。由于土壤物理化学性质恶化对农作物造成的危害，如土地盐碱化、土壤贫瘠化、土壤沙化、土壤通透性下降等。⑥农业海洋灾害。由海洋异常状态造成对海洋渔业、近海养殖业或沿海农业的危害，如风暴潮、海侵、海温异常变化、海平面上升等。⑦其他农业灾害。森林或草地火灾，可算作人为农业灾害，大多数农业环境污染也都可看作人为农业灾害；种子不良、农药失效等也都属于人为农业灾害。农业设施重大故障或事故属于人为灾害，如农机轧伤、电击、农药中毒、场院起火等。

前述多种农业自然灾害在粮食生产上都会遇到，但比较常见和危害较大的是农业气象灾害和农业生物灾害。近年，随着耕地资源的减少和农用化肥施用量的逐步增多，农业环境灾害和农业土壤灾害也日益严重，其对粮食综合生产能力的影响有超越气象灾害和生物灾害之势。

6.1.3 1980年来的受灾变迁

农业自然灾害是中国的主要自然灾害，农业自然灾害种类主要为旱灾、水灾、风雹灾、霜冻及农作物病虫害（史培军，1995）。表6-2列出了中国自1980年以来的农作物和粮食作物播种面积、受灾面积和成灾面积（含水灾、旱灾受灾面积和成灾面积）。

---

① 粮食生产和其他作物的生产是交织在一起，共同遭受自然灾害的威胁，无论是在实践工作中还是在统计数字中，很难把粮食生产所遭受的自然灾害单独剥离出来，因此，本节内容我们其实论述的是农业自然灾害。

表 6-2 播种面积和成灾、受灾面积　　　　　　单位：万公顷

年　份	农作物总面积	粮食作物播种面积	受灾面积	旱灾面积	洪涝灾面积	成灾面积	旱灾面积	洪涝灾面积
1980	14 637.9	11 723.4	4 452.6	2 611.1	914.6	2 977.7	1 417.4	607.0
1981	14 515.7	11 495.8	3 978.6	2 569.3	862.5	1 874.3	1 213.4	397.3
1982	14 475.5	11 346.3	3 313.3	2 069.7	836.1	1 598.5	997.2	439.7
1983	14 399.3	11 404.7	3 471.3	1 608.9	1 216.2	1 620.9	758.6	574.7
1984	14 422.1	11 288.4	3 188.7	1 581.9	1 063.2	1 560.7	701.5	539.5
1985	14 362.6	10 884.5	4 436.5	2 298.9	1 419.7	2 270.5	1 006.3	894.9
1986	14 420.4	11 093.3	4 713.5	3 104.2	915.5	2 365.6	1 476.5	560.1
1987	14 495.7	11 126.8	4 208.6	2 492.0	868.6	2 039.3	1 303.3	410.4
1988	14 486.9	11 012.3	5 087.4	3 290.4	1 194.9	2 394.2	1 530.3	612.8
1989	14 655.4	11 220.5	4 699.1	2 935.8	1 132.8	2 444.9	1 526.2	591.7
1990	14 836.2	11 346.6	3 847.4	1 817.9	1 180.4	1 781.9	780.5	560.5
1991	14 958.6	11 231.4	5 547.2	2 491.4	2 459.6	2 781.4	1 055.9	1 461.4
1992	14 900.7	11 056.0	5 133.3	3 298.0	942.3	2 589.5	1 704.9	446.4
1993	14 774.1	11 050.9	4 882.9	2 109.8	1 638.7	2 313.3	865.7	861.1
1994	14 824.1	10 954.4	5 504.3	3 042.5	1 732.9	3 138.3	1 704.9	1 074.4
1995	14 987.9	11 006.0	4 582.1	2 345.5	1 273.1	2 226.7	1 040.1	760.4
1996	15 238.1	11 254.8	4 698.9	2 015.1	1 814.6	2 123.3	624.7	1 085.5
1997	15 396.9	11 291.2	5 342.9	3 351.6	1 141.5	3 030.7	2 001.2	583.9
1998	15 570.6	11 378.7	5 014.5	1 423.6	2 229.2	2 518.1	506.0	1 378.5
1999	15 637.3	11 316.1	4 998.1	3 015.6	902.0	2 673.1	1 661.4	507.1
2000	15 630.0	10 846.3	5 468.8	4 054.1	732.3	3 437.4	2 678.4	432.1
2001	15 570.8	10 608.0	5 215.5	3 847.2	604.2	3 174.3	2 369.8	361.4
2002	15 463.6	10 389.1	4 711.9	2 220.7	1 237.8	2 731.9	1 324.7	747.4
2003	15 241.5	9 941.0	5 450.6	2 485.2	1 920.8	3 251.6	1 447.0	1 228.9
2004	15 355.3	10 160.6	3 710.6	1 725.3	731.4	1 629.7	848.2	374.7

资料来源：根据《中国农村统计年鉴》（2005）整理而得

　　表6-2显示，在我们所考察的25年间，我国农业自然灾害作物受灾面积平均每年为4626.34万公顷，受灾率（受灾面积/农作物总面积×100%）为30.9%，成灾面积2421.92万公顷，成灾率（成灾面积/农作物总面积×100%）为16.2%，其中旱灾、洪涝灾害受灾3790.81万公顷，占播种作物总受灾面积的81.9%，旱灾、洪涝灾害成灾2001.44万公顷，占播种作物总成灾面积的82.6%，这充分说明了我国历年农业自然灾害受灾面积大，成灾比例高，还表明了我国主要灾种为旱灾、洪涝灾害两种灾害。进一步考察，旱灾又在两种灾害中

占主要地位,旱灾面积占总受灾面积的55.2%,占总成灾面积的53.7%。这表明我国在今后的防灾减灾工作中,要注意洪涝灾害、旱灾尤其是旱灾的发生,降低水旱灾造成的粮食损失(表6-3,图6-1,图6-2)。

在比例上,旱灾、洪涝灾害受灾成灾率发展趋势与总的受灾成灾率发展趋势也相当,相关系数分别为:总受灾率与旱灾、洪涝灾害受灾率0.431、总成灾率与水旱成灾率0.950(表6-4,表6-5)。

表6-3　中国粮食产量波动及受灾面积变化、成灾面积变化

年　份	粮食波动/万吨	受灾面积变化/万公顷	旱灾受灾面积变化量/万公顷	洪涝灾害受灾面积变化量/万公顷	成灾面积变化/万公顷	旱灾成灾面积变化量/万公顷	洪涝灾害成灾面积变化量/万公顷
1981	446	-474.0	-41.8	-52.1	-1 103.4	-204.0	-209.7
1982	2948	-665.3	-499.6	-26.4	-275.8	-216.2	42.4
1983	3278	158.0	-460.8	380.1	22.4	-238.6	135.0
1984	2003	-282.6	-27.0	-153.0	-60.2	-57.1	-35.2
1985	-2820	1 247.8	717.0	356.5	709.8	304.8	355.4
1986	1240	277.0	805.3	-504.2	95.1	470.2	-334.8
1987	1147	-504.9	-612.2	-46.9	-326.3	-173.2	-149.7
1988	-890	878.8	798.4	326.3	355.2	227.0	202.4
1989	1347	-388.3	-354.6	-62.1	50.1	-4.1	-21.1
1990	3869	-851.7	-1 118.3	47.6	-663.0	-745.7	-31.2
1991	-1095	1 699.8	673.9	1 279.2	999.5	275.4	900.9
1992	737	-413.9	806.6	-1 517.3	-191.9	649.0	-1 015.0
1993	1383	-250.4	-1 188.2	696.4	-276.2	-839.2	414.7
1994	-1139	621.4	932.7	94.2	825.0	839.2	213.3
1995	2152	-922.2	-697.0	-459.8	-911.6	-664.8	-314.0
1996	3792	116.8	-330.4	541.5	-103.4	-415.4	325.1
1997	-1037	644.0	1 336.5	-673.1	907.4	1 376.5	-501.6
1998	1813	-328.4	-1 928.0	1 087.7	-512.6	-1 495.2	794.6
1999	-391	-16.4	1 592.0	-1 327.2	155.0	1 155.4	-871.4
2000	-4621	470.7	1 038.5	-169.7	764.3	1 017.0	-75.0
2001	-954	-253.3	-206.9	-128.1	-263.1	-308.6	-70.7
2002	442	-503.6	-1 626.5	633.6	-442.4	-1 045.1	386.0
2003	-2636	738.7	264.5	683.0	519.7	122.3	481.5
2004	3877	-1 740.0	-759.9	-1 189.4	-1 621.9	-598.8	-854.2

注:其中年份指的是两个年份的间隔,如1981年是指1980~1981年的变化

表 6-4　总受灾率和旱灾、洪涝灾害受灾率相关系数矩阵

项　目		总受灾率	旱灾、洪涝灾害受灾率
总受灾率	Pearson 相关系数	1	0.431 *
	显著性（双尾检验）		0.031
	样本数 N	25	25
旱灾、洪涝灾害受灾率	Pearson 相关系数	0.431 *	1
	显著性（双尾检验）	0.031	
	样本数 N	25	25

* 显著性水平为 0.05（双尾检验）

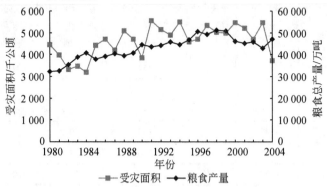

图 6-1　受灾面积与粮食总产量

表 6-5　总成灾率和水旱成灾率相关系数矩阵

项　目		总成灾率	水旱成灾率
总成灾率	Pearson 相关系数	1	0.950 **
	显著性（双尾检验）		0.000
	样本数 N	25	25
旱灾、洪涝灾害成灾率	Pearson 相关系数	0.950 **	1
	显著性（双尾检验）	0.000	
	样本数 N	25	25

** 显著性水平为 0.01（双尾检验）

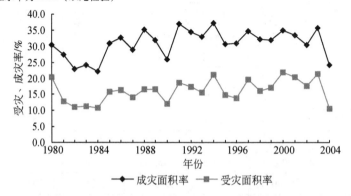

图 6-2　受灾面积率与成灾面积率

6.1.4 1980~2004 年农作物受灾面积波动周期

1980~2004 年农作物受灾面积存在 4 个明显的周期：

第 1 个周期是 1980~1985 年（其中包括了 1982~1984 年的低峰、高峰、低峰小周期）。1980 年的农作物受灾面积较大，而当年的粮食产量出现负增长；1982 年农作物受灾面积下降到第 1 个低峰值，粮食产量出现较大的增长；到 1985 年，农作物受灾面积又急剧上升，当年的粮食产量再次出现较大的负增长。较为异常的年份是 1983 年，当年灾情较 1982 年大，而粮食产量却较 1982 年增幅稍大，其主要原因是自 1982 年在全国开始实行承包责任制等政策因素极大地调动了农民的生产积极性，进而使单产水平有较大提高。第 2 个周期是 1985~1988 年。第 3 个周期是 1988~1991 年。第 4 个周期是 1991~1995 年。在这一周期，又出现了较为特殊的 1995 年，即粮食产量并未随农作物受灾面积的持续增长而持续下降，反而呈现增长型，其影响因素是多方面的。主要原因有：一是农业政策因素发生积极影响（如当年国家决定对土地承包期再延长 30 年不变、对"米袋子"实行省长负责制、粮食购销政策到位等）；二是粮食播种面积较 1994 年有所增长；三是在 1995 年农作物受灾面积中，因救灾及时等的影响，当年总成灾面积较 1994 年略有增加，成灾率则降低 8%；四是北方的玉米等的大幅增产；五是农业科技推广取得成效等。1996 年进入第 5 个周期，当年的农作物受灾面积较 1995 年大幅度下降，加之播种面积的增长等因素的影响，粮食产量也达到 4.9 亿吨的历史最高水平。

从上述分析可见，农业生产的周期波动是十分明显的，除 1983 年、1995 年不太规则外，农作物受灾面积的年际增长率与粮食产量的年际增长率之间客观上存在显著的负相关关系，每 4~6 年为一个周期。

6.2 自然灾害对粮食综合生产能力的影响

6.2.1 时间序列上

我们用粮食产量的波动代替粮食综合生产能力的变化，考虑粮食产量变化与受灾面积、成灾面积的相关系数以阐述自然灾害对粮食综合生产能力的影响。

由表 6-6 可知，粮食产量变化量与自然灾害中受灾面积、成灾面积变化量显著相关，其相关系数分别是 −0.688、−0.696，与旱灾受灾、成灾面积变化量也显著相关，其相关系数分别是 −0.613、−0.596；相应的，与水灾受灾、成灾面积变化相关性并不显著，这与前人的研究结果相当接近。自然灾害是造成我国粮食产量下降的主要因素，尤以旱灾为主。

表 6-6　相关系数矩阵

项　目		受灾面积 变化量	旱灾受灾面 积变化量	水灾受灾面 积变化量	成灾面积 变化量	旱灾成灾面 积变化量	水灾成灾面 积变化量
粮食产 量变化量	Pearson 相关系数	−0.688**	−0.613**	−0.098	−0.696**	−0.596**	−0.157
	显著性（双尾检验）	0.000	0.001	0.648	0.000	0.002	0.465
	样本数 N	24	24	24	24	24	24

**显著性水平为 0.01（双尾检验）；*显著性水平为 0.05（双尾检验）

6.2.2　横截面上

确定表征自然灾害程度和表征粮食生产能力波动的指标。我们把 2004 年相对于 2003 年 31 个省、自治区、直辖市的受灾面积变化（2004 年受灾面积为 2003 年的百分比）或成灾面积变化（2004 年成灾面积为 2003 年的百分比）表征自然灾害程度变化；用 2004 年粮食产量与粮食播种面积变化（2004 年播种面积为 2003 年的百分比）之间的比值，再与 2003 年粮食产量相比，得到剔除播种面积变化影响后的粮食产量变化（实质为粮食单产的变化），表征粮食综合生产能力波动（表 6-7）。

表 6-7　2004 年自然灾害与粮食产量

地　区	2004 年 受灾面 积合计 /万公顷	受灾面 积变化 （2004 年与 2003 年 比例）/%	2004 年 成灾面 积合计 /万公顷	成灾面 积变化 （2004 年与 2003 年比例） /%	粮食播种 面积变化 （2004 年 与 2003 年 比例）/%	2003 年 粮食总 产量 /万吨	2004 年 粮食总 产量 /万吨	2004 年 产量与 播种面 积之比	剔除面 积变化 影响的 产量变 化
北　京	2.8	47.5	1.0	40.0	109.3	58.0	70.2	69.4	84.3
天　津	7.5	52.4	3.0	31.6	102.1	119.3	122.8	143.9	104.4
河　北	175.7	58.6	79.7	40.9	101.0	2 397.8	2 480.1	2 603.9	106.9
山　西	94.7	114.3	44.1	127.8	103.2	958.9	1 062.0	1 019.0	110.1
内蒙古	321.6	99.7	171.1	74.0	103.2	1 360.7	1 505.3	1 458.4	103.7
辽　宁	125.0	106.9	75.7	73.8	106.0	1 498.3	1 720.0	1 554.3	102.9
吉　林	255.0	133.9	96.7	125.9	107.5	2 259.6	2 510.0	2 273.2	102.6
黑龙江	379.0	56.9	108.7	26.1	104.2	2512.3	3001.0	2566.2	87.2
上　海	6	600.0	3	#DIV/0!*	104.3	98.8	106.9	125.1	95.8
江　苏	95.6	33.4	17.3	10.3	102.5	2 471.9	2 829.1	2 591.1	89.1

地 区	2004 年受灾面积合计/万公顷	受灾面积变化(2004 年与2003 年比例)/%	2004 年成灾面积合计/万公顷	成灾面积变化(2004 年与 2003 年比例)/%	粮食播种面积变化(2004 年与2003 年比例)/%	2003 年粮食总产量/万吨	2004 年粮食总产量/万吨	2004 年产量与播种面积之比	剔除面积变化影响的产量变化
浙 江	79.6	129.9	38.5	111.9	101.9	793.4	834.9	921.5	97.8
安 徽	71.5	19.1	30.4	11.6	102.5	2 214.8	2 743.0	2 190.7	79.2
福 建	67.1	61.2	22.0	43.2	100.8	713.2	736.5	790.7	103.6
江 西	112.2	61.5	59.6	44.9	109.8	1 450.3	1 663.0	1 515.5	97.8
山 东	211.9	80.5	77.1	61.7	96.3	3 435.5	3 516.7	3 702.0	112.4
河 南	223.4	45.0	86.4	31.5	100.5	3 569.5	4 260.0	3 591.0	85.3
湖 北	155.0	50.0	89.4	47.5	104.3	1 921.0	2 100.1	2 097.2	102.5
湖 南	112.9	41.2	58.1	33.4	105.0	2 442.7	2 640.0	2 507.9	100.3
广 东	107.1	89.7	52.3	105.0	100.6	1 430.4	1 390.0	1 483.8	100.3
广 西	199.5	103.3	91.4	80.6	101.2	1 466.1	1 398.5	1 501.1	101.0
海 南	15.8	57.0	33.6	33.6	87.1	204.6	190.1	191.9	101.8
重 庆	91.0	94.9	38.8	64.3	101.9	1 087.1	1 144.5	1 149.2	106.2
四 川	147.6	53.8	65.9	51.9	101.4	3 054.1	3 146.7	3 178.0	101.0
贵 州	69.8	65.8	29.1	50.3	100.5	1 104.3	1 149.6	1 124.5	108.7
云 南	113.3	75.9	44.6	55.1	102.2	1 471.0	1 509.5	1 504.1	105.6
西 藏	4.3	1075.0	1.1	#DIV/0!	96.7	96.6	96.0	101.5	103.2
陕 西	112.1	52.5	45.7	39.4	100.4	968.4	1 040.0	1 053.8	104.8
甘 肃	214.7	204.3	115.3	152.3	101.4	789.3	805.8	830.0	104.8
青 海	15.7	90.2	8.7	84.5	98.7	86.8	88.5	99.7	109.2
宁 夏	54.5	222.4	29.7	165.9	98.3	270.2	290.5	295.6	97.9
新 疆	2.8	96.6	43.6	84.5	102.7	775.5	796.5	853.1	102.1

*#DIV/0! 为无效数字,在作数据分析时把这种数字删去,后同

然后,对自然灾害变化程度与粮食生产能力波动进行相关分析,结果见表6-8。从表6-8 可以看出,不论是受灾面积的变化还是成灾面积的变化,都与剔除播种面积变化影响的粮食产量变化呈现明显的负相关关系,相关系数分别为 −0.387 和 −0.337,与成灾面积变化相关系数的显著性水平为 0.074,显著性水平不是很满意,但也足以说明自然灾害对我国粮食综合生产能力的确具有显著影响。

表 6-8 相关系数矩阵

项　目		受灾面积变化	成灾面积变化	剔除面积变化影响的产量变化
受灾面积变化	Pearson 相关系数	1	− 0.946 **	− 0.387 *
	显著性（双尾检验）		0.000	0.032
	样本数 N	31	29	31
成灾面积变化	Pearson 相关系数	− 0.946 **	1	− 0.337
	显著性（双尾检验）	0.000		0.074
	样本数 N	29	29	29
剔除面积变化影响的产量变化	Pearson 相关系数	− 0.387 *	− 0.337	1
	显著性（双尾检验）	0.032	0.074	
	样本数 N	31	29	31

** 显著性水平为 0.01（双尾检验）；* 显著性水平为 0.05（双尾检验）

6.3　粮食产量波动中自然灾害的贡献测定

6.3.1　粮食产量的影响因素

影响我国粮食产量的因素主要包括下列几方面：①作物品种改良及耕作栽培技术；②化肥施用量；③农业机械；④粮食播种面积的变化；⑤农业气象灾害；⑥粮食价格。

6.3.1.1　作物品种改良及耕作栽培技术

在其他资源一定的情况下，要想提高粮食产量，必须依靠先进的农业科学技术的发明、推广与应用和其他相应资源的投入。推广杂交水稻、良种小麦、优良杂交玉米组合等良种技术，可以大幅度提高粮食单产；结合科学的耕作技术，如科学配方施肥技术、节水灌溉技术、地膜覆盖、虫鼠害综合防治技术等，可以显著提高我国的粮食产量，从长远来看，这也是解决我国粮食问题的必由之路。

6.3.1.2　化肥施用量

自从化肥应用到农业上，粮食产量得以显著增长，它的施用量是影响粮食产量的一个重要因素。图 6-3 显示了 1980 ~ 2004 年农用化肥使用量及农业机械总动力的投入量，增加趋势极显著。但化肥的施入量与粮食的增长并不是简单的线性正相关关系。徐浪、贾静（2003）对四川省历年的粮食总产及化肥投入量进行了建模，研究了化肥和粮食产量的关系。结果显示，化肥施用量对粮食产量的贡献率沿着抛物线轨迹运行，起初贡献率是上升的，即刚刚使用化肥时，粮食增产很多；贡献率达到最高点之后，逐渐向下走，即随着化肥使用年数增多，化肥对粮食的增产效果越来越差，表现出经济上的边际效益递减律，全国很多地区也表现了此种情况。对全国 1980~2004 年施入化肥总量与粮食产量进行了相关性统计分析，当然这些投入并不都是用在粮食作物上，总的说来，它们之间还是有着极显著的正相关关系，相关系数为 0.655，但是化肥的大量施用不仅对土壤和地下水造成污染，而且越来越严重导致土地板结、水土流失等问题加剧，间接影响未来的粮食产量。

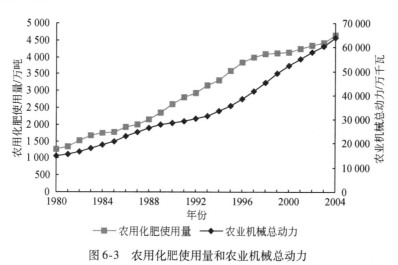

图 6-3　农用化肥使用量和农业机械总动力

6.3.1.3　农业机械总动力投入

我国是个人口众多的国家，农村劳动力比较丰富，而且又有对土地进行精耕细作的传统思想，因而，我国耕地的动力长期以来以人力和畜力为主；再者，我国还处于社会主义初级阶段，农业水平较低，不可能投入大量的资金、技术和动力；还有国际能源市场变化多端，我国的能源消耗日益吃紧，频频出现的电荒、油荒、拉闸限电等也严重制约了农业的能源机械投入。不过，随着我国经济的发展、生产水平的提高，总农业机械动力投入也在显著增加，平均每平方千米农机动力也在增加，但农机动力平均投入非常低，年均最高为 4.17 千瓦/公里，最低为 1.01 千瓦/公里，25 年总平均为 2.28 千瓦/公里，但正如我们在前述章节所作分析，构成农业机械这一指标主要是农村四轮拖拉机的保有量，由于农村非农产业尤其是建筑业、运输业的发展，农民利用农业机械从事非农生产成为农民收入的一个很重要的来源，这在一定程度上刺激了农民对农业动力机械的需求，也加大了按地域范围统计的农业机械总动力，夸大了农业机械对粮食生产的影响，因而我国农业机械投入对我国的粮食产量增加并没有多大的影响，在很多地区它的作用主要表现在减轻农业人口的劳动强度上（图6-4）。

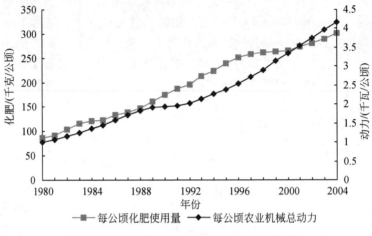

图6-4　单位面积化肥使用量和农业机械总动力

6.3.1.4　我国耕地资源对粮食产量的影响

实现粮食基本自给、主要依靠自己养活自己是我国政府奉行的粮食安全思想，因而国家耕地的维护工作始终备受关注。尽管各级政府在耕地保护方面作了许多努力，但耕地资源包括耕地数量、耕地质量、耕地分布、耕地改良投入等仍然严重威胁了我国粮食供给安全。耕地资源不断减少，不可避免地造成了粮食播种面积的下降，对我国粮食总供给产生了重要影响。谭术魁、彭补拙（2004）的研究表明我国耕地资源的变化与粮食产量之间有极大的联系。傅泽强、蔡运龙等（2001）还定量化了我国耕地面积年变化率和粮食产量年增长率的相关系数，两者具有基本一致的变化趋势，总的相关系数达0.7075。

我们对农作物总播种面积、粮食播种面积与粮食产量以及它们的年变化进行了分析。总播种面积与粮食播种面积反倒呈显著负相关，这说明我国总播种面积的变化与粮食播种面积的变化并没有必然的联系。但是粮食播种面积与粮食产量的相关系数为轻微负相关，$R = -0.287$，但不显著，这与常识有点违背，最大的可能原因是在早些年份，尽管粮食播种面积大，但种种因素造成广种薄收，而后，由于各种投入的增加，高产优质品种的栽培，进一步的完善管理等，使粮食单产大幅提高，不过，这并不是说粮食面积或耕地资源对粮食产量就不重要了。通过对粮食播种面积值的变化与粮食产量值的变化进行相关分析，两者相关系数达到0.750，这充分说明了年际间粮食面积的变化显著影响粮食产量的变化（表6-9）。

表 6-9 相关系数矩阵

项　目		粮食产量	粮食播种面积	农作物总播种面积
粮食产量	Pearson 相关系数	1	-0.287	0.797 **
	显著性（双尾检验）		0.164	0.000
	样本数 N	25	25	25
粮食播种面积	Pearson 相关系数	-0.287	1	-0.398 *
	显著性（双尾检验）	0.164		0.049
	样本数 N	25	25	25
农作物播种总面积	Pearson 相关系数	0.797 **	-0.398 *	1
	显著性（双尾检验）	0.000	0.049	
	样本数 N	25	25	25

** 显著性水平为 0.01（双尾检验）；* 显著性水平为 0.05（双尾检验）

　　以上表明，如果我国耕地资源的面积减少及耕地质量恶化的趋势没有得到实质性地抑制，尤其如果是粮食播种面积波动较大的话，我国粮食产量变化幅度将比较明显，并且在粮食需求持续上扬的情况下，需要切实稳定粮食播种面积。

6.3.1.5　我国受灾、成灾面积对粮食产量的影响

　　在我们所考察的 25 年间，我国农业自然灾害作物受灾面积平均每年为 4626.34 万公顷，受灾率（受灾面积/播种总面积×100%）为 30.9%，成灾面积 2421.92 万公顷，成灾率（成灾面积/播种总面积×100%）为 16.2%。全国各省（区）农业水灾、旱灾的成灾面积比例愈大，则相应的减产量的比例也就愈大。史培军（1997）对我国 1980～1995 年粮食损失（包括水灾、旱灾、风雹灾、霜冻、病虫去）减产的比例，占全国粮食比例的 15.3%，其中气象灾害占 40%，占总量的 6%。这一结果与马宗晋（1994）研究所得减产 550 亿 kg，占总产量的 14% 的结果很接近，二者相差仅 1% 左右。对此方面，刘明亮、陈百明（2000）从我国近年来粮食生产的波动性出发，通过粮食产量的时间趋势项与波动项的分解，探讨了我国主要粮食作物生产的波动性及其区域差异，并分析了主要农业自然灾害对粮食生产的影响。结果表明了我国粮食生产的波动性在很大程度上受制于受灾状况并具有显著的区域差异。北方各省因灾害减产比例较南方偏大，北方一般为 10%～15%，南方则为 5%～12%；西北虽然资料不全，但从宁夏回族自治区、甘肃省的比例看，处在全国平均水平的范围内。本文依据受灾成灾率及统计的全国粮食平均单产，简单计算出由水灾、旱灾造成我国历年平均每年粮食损失量为 835 亿 kg，为每年粮食总量的 42%。可见自然灾害造成的粮食损失大大地抵消了我国粮食的增产量。因此，减轻农业自然灾害造成的粮食损失对增加中国

粮食产量有着重要的意义。

6.3.1.6 农业政策及市场对粮食产量的影响

粮食政策和市场对我国的粮食产量有着较大的影响，粮食价格上扬时，农民的种田积极性比较高，一旦价格下跌，很多农民宁愿抛荒闲置，或改种其他经济作物，直接使粮食播种面积减少，从而使国家粮食产量下降。在某种意义上，市场只是一时影响了我国的粮食生产、造成我国粮食产量的波动，如果国家农业政策制定和实施得好，将能使我国的粮食产量保持稳定，但自然灾害造成的粮食损失是直接的，国家更应该减少此方面的损失。

6.3.2 自然灾害对粮食生产的影响测定

以上影响粮食生产诸因素中，有些会直接促使粮食产量增加，有些会导致粮食产量降低，在粮食的年际波动中，各因子具体的影响如何，贡献率多大，本研究对此进行了较为详尽的分析。

相对于农业投入方面，因为数据不连续，通过对有效灌溉面积、化肥施入量、农业机械总动力量、粮食播种面积、成灾面积和劳动力投入的变化率与粮食产量的变化率进行了相关分析，结果如表 6-10 所示。

表 6-10 相关系数矩阵

项　目		播种面积	劳动力投入	成灾面积	有效灌溉面积	农业机械总动力	化肥使用量
粮食产量	Pearson 相关系数	0.750**	0.821**	−0.688**	0.302	0.040	0.655**
	显著性（双尾检验）	0.000	0.000	0.000	0.152	0.851	0.001
	样本数 N	24	24	24	24	24	24

** 显著性水平为 0.01（双尾检验）；* 显著性水平为 0.05（双尾检验）

粮食播种面积、劳动力投入、成灾面积、化肥施入量的变化率与粮食产量的变化率极显著相关，其相关系数分别为 0.750、0.821、−0.688、0.655。据此发现，总体上，我国粮食年际变化量与粮食播种面积、劳动力投入、施肥量变化有着极显著的正相关，与成灾面积有着显著负相关而与有效灌溉面积、农业机械总动力的相关关系不显著。

进一步建立以粮食变化量为因变量的回归方程：

$$Y = -0.16 + 0.502X_1 + 0.264X_2 + -0.515X_3 + 0.022X_4 + 0.166X_5 + 0.523X_6$$
$$(0.997)\quad (1.307)\quad (-3.670)\quad (0.050)\quad (0.523)\quad (2.426)$$

式中：Y 为粮食产量年变化；X_1 为粮食面积变化率；X_2 为劳动力投入变化率；X_3 为成灾面积变化量；X_4 为有效灌溉面积变化率；X_5 为农机动力变化率；X_6 为化肥变化率，括号内数值为 T 检验值。修正后表示因子重要性的 Beta 值依次为（无常数项）0.180(X_1)、0.243(X_2)、-0.431(X_3)、0.006(X_4)、0.064(X_5)、0.336 (X_6)。因为各项的 T 检验值大多较小，可能是各变量间的共线性所致（表6-11）。用逐步回归法回归后可得：

表6-11 粮食产量变化对各影响因素的回归模型

Model	未标准化系数		标准系数	T	Sig.
	B	Std. Error	Beta		
常　数	-0.016	0.034		-0.472	0.643
播种面积	0.502	0.504	0.180	0.997	0.333
劳动力投入	0.264	0.202	0.243	1.307	0.209
成灾面积	-0.515	0.140	-0.431	-3.670	0.002
有效灌溉面积	0.022	0.439	0.006	0.050	0.961
农业机械总动力	0.166	0.318	0.064	0.523	0.608
化肥使用量	0.523	0.216	0.336	2.426	0.027

可见对我国粮食产量年际波动增产的第一因子是成灾面积的变化率，可能的内涵就是自然灾害对粮食综合生产能力的形成和提高有着极为重要的作用，第二因素是粮食播种面积的变化，可能的内涵是总体耕地面积的减少或粮食政策、价格对我国粮食产量的影响；促使粮食产量波动的第三因子是化肥使用量变化率，这方面比较显而易见，增加化肥使用在很大程度上可以造成粮食的增产（表6-12）。各种灾害造成粮食减产是必然的结果。

表6-12 粮食产量变化的影响因素的逐步回归

Model	系数			T 值	Sig.
	B	Std. Error	Beta		
常　数	0.037	0.007		5.412	0.000
成灾面积变化率	0.894	0.132	0.821	6.747	0.000
常　数	0.031	0.006		5.022	0.000
成灾面积变化率	0.692	0.129	0.636	5.353	0.000
有效灌溉面积变化率	-0.443	0.142	-0.371	-3.118	0.005

Model	系数			T 值	Sig.
	B	Std. Error	Beta		
常 数	-0.002	0.014		-0.181	0.858
成灾面积变化率	0.443	0.147	0.407	3.016	0.007
有效灌溉面积变化率	-0.508	0.127	-0.426	-3.997	0.001
化肥使用量变化率	0.496	0.185	0.319	2.677	0.014

6.4 结论性评述

本章通过描述性统计和相关分析认为，自然灾害对我国粮食综合生产能力的稳定性的确具有显著影响。我国目前的农田水利设施薄弱，抵御自然灾害能力落后，制约了粮食综合生产能力的提升。因此，通过田间工程建设、小型农田水利建设、更新改造老化机电设备、完善排灌体系、鼓励节水灌溉、鼓励粮食主产区中低产田盐碱和渍害治理等途径，加强农田水利建设力度，提高农业抗御自然灾害的能力，是提高粮食综合生产能力、保障粮食安全的基本要求。

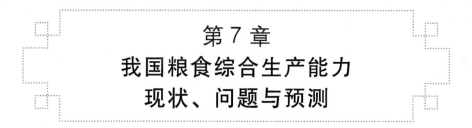

第7章
我国粮食综合生产能力
现状、问题与预测

7.1 我国粮食综合生产能力现状

7.1.1 我国粮食产量的发展变动情况

根据定义，粮食综合生产能力主要通过年度粮食总产量来表现，因此，笔者用粮食总产量的历史变化代表粮食综合生产能力的历史变化。

经过多年的努力，我国粮食总产量从 1980 年的 3.21 亿吨增加到 1996 年的 5.05 亿吨，首次突破 5 亿吨大关，受国家政策的支持，1998 年粮食总产量达到创纪录的 5.12 亿吨，但此后粮食生产呈现持续下滑的局面，我国粮食生产进入一个徘徊、下降的变动周期（图 7-1）。

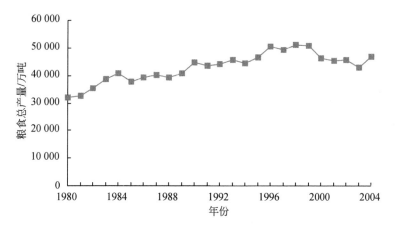

图 7-1　1980 年以来中国粮食总产量变动趋势

目前我国粮食综合生产能力已达到 5 亿吨，以 2004 年各地区的产量为例，其中，粮食综合生产能力超过 3000 万吨的产区有山东、河南、四川、黑龙江 4个省，2000 万~3000 万吨的有河北、吉林、江苏、安徽、湖北、湖南 6 个省，1000 万~2000 万吨的有山西、内蒙古、辽宁、江西、广东、广西、贵州、云南、重庆和陕西 10 个省（自治区、直辖市），低于 1000 万吨的有北京、天津、上海、浙江、福建、海南、西藏、甘肃、青海、宁夏、新疆 11 个省（自治区、直辖市）。

我国粮食总产量一直呈波动式上升，1995 年始，我国粮食连续 4 年获得丰收，导致粮食总供给量大于总消费量，出现了结构性过剩。自 1998 年后粮食产量已连续 5 年出现下滑，库存连续下降，粮食连续 4 年产不足需，产需缺口持续扩大。2003 年粮食总产量下降到 4.31 亿吨，2002 年减产 5.8%。尽管 2004 年粮食生产扼制住了连续 5 年的下滑，粮食总产量达 4.69 亿吨，比 2003 年增加了 0.38 亿吨，增产 8.8%，实现了那几年的首次增产，但我国粮食产量的发展现在仍不乐观，存在着许多发展隐患和障碍。

7.1.2 粮食播种面积变化情况

1）在 2000 年以前，我国的粮食播种面积一直稳定在 1.1 亿公顷以上，但从 2000 年开始，粮食播种面积逐年下降，2001 年，我国粮食播种面积为 1.06 亿公顷，首次降到 1.1 亿公顷以下；2002 年，我国粮食播种面积为 1.039 亿公顷，比 1998 年下降了 8.7%，到 2003 年下降到 1 亿公顷以下，粮食播种面积下降到新中国成立以来的最低水平（图 7-2）。

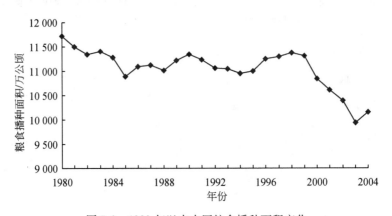

图 7-2　1980 年以来中国粮食播种面积变化

2）粮食占农作物总播种面积的变化。长期以来，粮食种植比较利益偏低，耕地乱占滥用屡禁不止，加上近来我国加大农业结构战略性调整、加强退耕还林力度、深化粮食流通体制改革等因素的影响，粮食作物播种面积大幅度减少。

在我国粮食播种面积持续下降的同时，粮食作物播种面积占农作物总播种面积的比例也不断下降。2003 年粮食作物占农作物的比例为 66.2%，比 1980 年的 80.1% 下降了 13.9%，平均每年约下降 0.56%（图 7-3）。

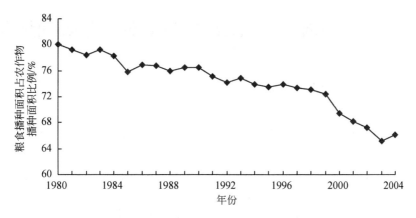

图 7-3　1980 年以来中国粮食播种面积占农作物总播种面积比例变化

7.1.3　我国粮食单产的变化情况

1980～1998 年，我国粮食单产在波动中稳步上升，从 1980 年的 2734 千克/公顷到 1998 年的 4505 千克/公顷，达到历史的最高点，1998 年比 1980 年增长 1886 千克/公顷，增幅为 69.0%，比 1990 年增长 569 千克/公顷，增幅为 14.5%。1999～2003 年波动不大，分别为 4493 千克/公顷、4261 千克/公顷、4267 千克/公顷、4399 千克/公顷、4332 千克/公顷。2004 年的粮食单产为 4620 千克/公顷，比 2003年的 4332 千克/公顷增加 288 千克/公顷，增幅为 6.6%（图 7-4）。

当前我国主要粮食品种单产均高于世界平均水平，小麦单产接近世界平均水平的 140%。稻谷单产是世界平均水平的 160%，玉米单产略高于世界平均水平。但是我国小麦单产远低于欧盟国家，玉米、稻谷单产低于美国。

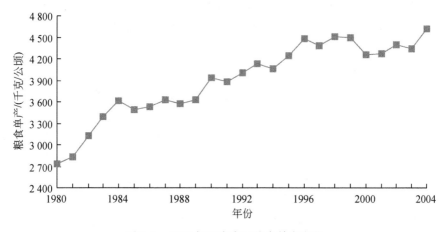

图 7-4　1980 年以来中国粮食单产变化

7.2 我国粮食综合生产能力面临的主要问题

7.2.1 耕地资源匮乏及耕地流失

耕地是不可再生的自然资源，是人类赖以生存和发展的物质基础，也是决定粮食综合生产能力高低的重要因素。马文杰、冯中朝（2005）通过构建 1985～2002 年粮食生产的 C-D 函数，得出整个粮食播种面积的生产弹性系数 1.633 >1，表明整个粮食产业仍处于规模报酬递增阶段，同时也表明我国粮食产量对播种面积的依赖程度较高，播种面积增加 1%，产量则会增加 1.633%。粮食播种面积很大程度上受耕地面积的制约，因此耕地对于我国粮食综合生产能力有着至关重要的影响。中国人均耕地面积远远低于世界平均水平，而耕地浪费问题十分严重。

世界人均耕地为 0.25 公顷，我国仅为 0.106 公顷，是一个耕地资源极为匮乏的国家。我国的耕地分布极为不均衡，人均耕地大于 0.13 公顷的 12 个省（区），主要分布在水资源与光温配合不好的东北和西北地区。而南方四省（广东、福建、江苏、浙江）和北京、天津、上海人均耕地不足 0.067 公顷。全国有将近 1/3 的县人均耕地低于 0.053 公顷。淮河流域及其以北地区，水资源量不足全国的 20%，耕地却占到全国的 62%，属于严重的错位分布。另外，耕地负荷率较高，据统计，我国耕地的垦殖率平均为 14%，北方地区高达 32.6%，而世界平均耕地垦殖率只有 11%。

在我国这样一个耕地资源极为宝贵的国家，近年来受各种原因的影响，耕地流失极其严重。根据土地详查，1996 年全国耕地面积为 1300.3 万公顷，到 2003 年，耕地面积减少到 1233.4 万公顷。净减耕地数量为 66.9 万公顷，年均净减少 9.577 万公顷。而耕地流失又分为显性流失和隐性流失。耕地的显性流失是指耕地转作他用，暂时性甚至永久性不能恢复作为耕地，并反映在统计数字上的耕地面积的减少，其原因有房地产开发和开发区乱占滥用耕地，农村中挪用和浪费耕地，采矿中挖损、破坏和压占耕地以及乡镇企业建设占用耕地。资源的生产力主要靠农作物吸收土壤中的水分与养分，并经过同化作用生成。所以土壤的养分对于耕地来说至关重要，没有养分的耕地其实不能称之为真正的耕地。所以，耕地的隐性流失所造成的后果比显性流失更严重。耕地的隐性流失指虽然耕地面积没有减少，但产出能力却在无形中衰减。耕地隐性流失有三种表现形式：一是静态的隐性流失，即某一固定地块的土地利用行为不科学造成耕地质量下降；二是动态隐性流失，即在土地政策执行过程中，由于某些政策的具体执行行为带有刚

中国粮食综合生产能力研究

性，如耕地"占一补一"政策的实施中，单方面或比较注重耕地数量的占补平衡而忽视质量的占补平衡，从而造成耕地隐性流失；三是尽管耕地存在，但农民却不能耕种或不愿耕种所造成的耕地流失，称作人为的隐性流失，如土地的细碎化和撂荒等（马文杰、冯中朝，2005）。耕地隐性的原因主要有水土流失、盐碱化、荒漠化；工业废物排放造成的土壤污染；农业生产污染，如农用地膜污染、农药和化肥污染所造成土壤结构的破坏；土地细分带来农田面积的减少；耕地撂荒；工农业"剪刀差"政策和农业比较效益低的客观存在使农民粗放掠夺经营造成的耕地隐性流失以及某些刚性、强制的耕地保护政策实施过程中造成耕地隐性流失。

7.2.2 水资源短缺

水是农业的命脉，水资源短缺将是我国粮食生产的隐患，其对粮食综合生产能力的制约力未来可能超过耕地上升到第一位。

我国水资源的特点是：①水资源总量丰富，但人均占有量不足。我国水资源总量居世界第6位，2003年我国人均水占有量只有2076立方米，仅为世界平均水平的1/4，距国际上的严重缺水标准2000立方米只差不到100立方米，并且80%的江河湖泊受到不同程度的污染，影响灌溉面积达2000万公顷。②农业用水需求量较大。我国每年农业用水占全国用水总量的60%以上。长江、东北、华北、西北耕地占全国总量的58%，水资源只占15%，干旱缺水一直是北方农业发展的主要制约因素（周慧秋，2005）。我国基本上是灌溉农业，目前，全国75%的粮食、90%的经济作物依靠灌区生产。灌溉的发展对北方旱作农区粮食持续增产起到关键作用，但也进一步加剧了水资源短缺的矛盾，我国现每年需要灌溉用水4000亿立方米，仍有2670万公顷耕地因旱灾减产，灌区每年缺水300亿立方米。③水资源时空分布不均衡，水土资源不匹配不协调。我国水资源主要集中在南方，北方不到20%。黄淮海平原是我国主要的商品粮食基础，但整个流域缺水严重，供需缺口率高达6%~17.2%；受季风气候影响，我国降水量年内分配不均匀，大部分地区年内连续4个月的降水量占全年降水量的60%~80%，北方广大地区春季小麦需求高峰的季节却很少下雨，形成北方严重的春旱。④农业用水方式极为落后，用水利用率低。现在农业灌溉用水多数仍沿用传统的土渠输水、大水漫灌的方式，其利用率约为45%，仅为发达国家的一半。这种落后灌溉技术和灌溉方式，一方面浪费了大量宝贵的水资源，另一方面又增加粮食的生产成本，降低了粮食生产的效益。

预计2010年人均水资源只有1700立方米，随着河流枯竭和地下水减少，到2030年用水供给仍将保持在3600亿立方米左右（尹成杰，2004），农业供水量已经呈现下降和零增长的趋势，水资源的日趋下降，将成为我国粮食综合生产能力进一步提高的"瓶颈"。

7.2.3 基础设施落后，生产条件薄弱

我国对农业投入不足，农业基础设施薄弱，特别是农田水利等基础设施欠账较多、大江大河失修的情况较为严重，致使抵御自然灾害的能力减弱，粮食生产至今仍不能摆脱靠天吃饭的局面。在农村税费改革取消"两工"后，农田基础设施建设投工明显减少，每年恢复和改善新增灌溉面积减少。

7.2.3.1 受灾面积、成灾面积有扩大趋势

据统计，2000～2002 年与 1995～1997 年相比，全国农作物受灾面积增加5.3%，成灾面积增加 14.5%，成灾率上升了 10%。2003 年全国农作物受灾面积为 5450.6 万公顷，比上年增加 738.7 万公顷。其中，成灾 3251.6 万公顷，增加519.7 万公顷；绝收 854.6 万公顷，增加 198.7 万公顷。受灾、成灾和绝收面积均大于 20 世纪 90 年代以来的平均值。洪涝（渍涝）灾害对农业生产影响严重；干旱对农业生产的影响较重；大风、冰雹等强对流天气出现较多，造成的损失也较大；低温冻害受灾、成灾和绝收面积均高于 90 年代以来的平均值。

7.2.3.2 有效灌溉面积增长不快

2004 年有效灌溉面积为 545 万公顷，仅比 1980 年的 450 万公顷增加了 95 万公顷，25 年间年均增加 3.8 万公顷，这与中国 25 年间平均 1.1 亿公顷的粮食播种面积相比少得可怜。中国的灌溉工程多为 20 世纪 50～70 年代修建，由于年久失修、工程老化和不配套，每年有 1 亿亩（尹成杰，2005）耕地不能灌溉，且农业用水利用率低，农业用水短缺和浪费都很严重（图 7-5）。

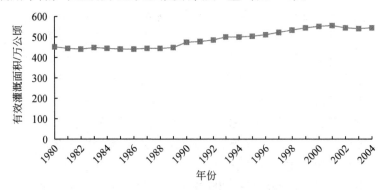

图 7-5　1980～2004 年全国有效灌溉面积

7.2.3.3 农业机械总动力不足，生产工具落后

2004 年我国农业机械总动力为 64 028 万千瓦，单位播种面积 6.3 千瓦/公顷，与发达国家相比有较大差距。如前面章节所述，改革以来，构成这一指标的主要是农村四轮拖拉机的保有量。由于农村非农产业尤其是建筑业、运输业的发展，农民利用农业机械从事非农生产成为农民收入的一个很重要的来源，这在一定程度上刺激了农民对农业动力机械的需求，也加大了按地域范围统计的农业机械总动力这一指标在反映粮食生产机械化水平方面的失真程度，因此农业机械总动力严重不足。农业机械装备、植保设施建设也十分薄弱，植保环节的施药器械陈旧、施药技术落后，生物生态控害技术尚未普及。

近年来，我们已经认识到了这个问题的严重性，加大了投资力度，如长江防洪大堤的修建、南水北调工程进度的加速等，在一定程度上提高了抵御自然灾害的能力。但农业基础设施建设的任务仍相当繁重，尤其是环境的保护和治理任重而道远。

7.2.4 粮食生产科研投入不足，农业科技发展缓慢

长期以来，农业科技为粮食增产作出了重要贡献，粮食安全的根本出路也在于农业科技的发展。自改革开放以来，我国已经初步形成了比较健全的农业科研和技术推广服务体系，研发和推广了一批优良品种和综合配套技术。近 20 年粮食品种更新 3 或 4 次，每次更新都使单产增加 5% 以上。近年我国对农业科研尤其重视，组织和实施了农业科技攻关和结构调整重大技术研究专项；农业技术引进工作得到进一步推进，2003 年度共安排引进项目 105 个，经费 11 000 万元（中华人民共和国农业部，2005）。

但是，当今新的世界农业科技革命突飞猛进，生物技术、信息技术和新材料的应用，使得农业科技取得重大进步。与发达国家相比，我国在粮食生产的科研投入方面还存在着诸多问题：①农业科研投入总量不足，占农业总产值的比例低。目前我国农业科研投资占农业总产值的比例不到 0.2%，不但低于发达国家平均数 2.37%，也低于 30 个最低收入国家 0.65% 的平均数，严重制约了我国农业科技的开发与应用（王为农，2006）。②农业科研投入的资金来源渠道单一，非政府机构资金少。③农业科技服务能力有所减弱、农业科技服务体系活力减退，致使主要农业科学技术入户率不到 40%（尹成杰，2005）。④农业科技创新滞后、农技推广体系不健全、科技管理体制与机制不完善等问题越来越突出，同世界先进国家相比差距拉大。

7.2.5　种粮成本加大，风险增加，农民种粮食积极性降低

（1）种粮成本增加，收益下降

受劳动力价格的上涨的影响，我国粮食生产已经从主要依靠活劳动投入转向依靠资金投入、技术投入。这种生产方式的改变，在提高粮食总产出水平同时，增加了单位粮食的成本。根据王为农（2006）对粮食主产区河南省驻马店的一项调查显示，玉米种子2004年批发价格为每斤2.8元，到2005年已涨到4.8元，上涨幅度71.4%；化肥价格普遍上涨，其中尿素2004年2月为每吨1280元，同年10月涨至每吨1980元，上涨幅度高达54.7%；农膜2004年3~4月价格为每吨9200~9500元，当年10月就高达每吨13000元，上涨幅度36.8%~41.3%；柴油从2004年的每吨4250元，上涨至2005年的每吨4300元。农资价格的上涨，直接增加了农业的种植业成本。显然，对于粮食生产者来说，必须有高于成本费用的收益，才会从事粮食生产。今后，我国粮食生产成本上升的趋势还将存在，粮食收益增长的空间非常有限。

（2）种粮的风险增加

尽管近些年来种粮基本条件有所改善，但受基础设施条件落后的制约，种粮主要还是靠老天帮忙，一旦发生大面积灾害性气候，粮食生产就会受到严重冲击。20世纪五六十年代，我国农业受灾面积多为2000万~3000万公顷，70年代有所增加，1977年、1978年两年受灾面积均超过了5000万公顷，80年代以来，各年受灾面积都在3000万公顷以上，其中1988年、1991年、1992年、1994年、1997年、1998年受灾面积均超过了5000万公顷。近年来，成灾率逐年上升，造成总经济损失平均每年达600亿元左右，粮食损失400亿千克。据国家减灾委员会的权威报告，继1993年大灾之后，1994年灾害损失严重，直接经济损失超过1000亿元。

（3）农民种粮积极性下降

我国粮食生产主要以家庭小规模生产为主，每个农业人口人均耕地面积只有2亩；由于生产规模小，商品率低，农民种粮的收入较少。粮食生产作为一项弱势产业，其劳动产出率比较低，投入多而经济效益不高，所以除了少数种粮大户以外，欲通过粮食价格来调动农民种粮积极性的作用日显失效，"谷贱伤农"直接影响了农民的收入。

随着可供选择余地的扩大，农民对于粮食生产的热情已日趋下降，我国农村中大批有较高文化和素质较好的青、中年劳力纷纷离开土地涌入城市。而留在耕地上的多是素质相对较差劳动力，结果导致土地经营更加不力，耕地抛荒严重。

此外，农民负担沉重，种粮的纯收入大大低于经商、务工的收益，农民普遍

对粮食生产失去了兴趣，对农业、农村失去了信心，这导致粮食产量减少，与社会日益增长的粮食需求之间形成了尖锐的矛盾。

（4）各级地方政策发展粮食生产的真实积极性不高

无论是从财政收支的角度考虑，还是从 GDP 增长考虑，或是从政绩考虑，发展农业都不如发展工商业，地方政府发展工商业的积极性要高于发展农业的积极性。自 1996 年以来，由于粮食出现了阶段性、结构性过剩，库存积压较多，国家规定的保护价很低，而同期化肥、农药、地膜等生产资料价格上涨，国家对农业支持力度不够，农民种粮效益很低，甚至亏本，导致粮食产区整体经济效益不高。虽然 2004 年国家调整了农业政策，开始对农业生产进行补贴，农民种粮积极性得到提高，但由于实行时间较短，整体效益显现不是特别明显。

7.2.6 其他问题

（1）我国农民组织化程度较低

一是农户经营规模过于细小，二是参与市场竞争的行为过于分散，三是农业产业化发展不快，竞争力弱，难以实现与国际市场接轨。此外，种粮农民素质普遍偏低，受教育程度差，而且近几年由于农村劳动力转移，真正务农的农民素质更低。而对农民的培训，因受经费限制而很难开展起来。农民组织化程度低，影响了粮食的规模效益和粮食竞争力的提升。

（2）不利的外部因素

提高粮食综合生产能力遇到的最大的外部不利因素是大部分粮食在国际市场上的竞争力弱。我国粮食品种中的高粱、谷子、中籼稻、晚籼稻和粳稻生产，具有一定的比较优势；大豆在经过几年徘徊后，比较优势有所增强；玉米处于明显劣势；小麦和早籼稻生产已处于利益均衡点，不具出口优势。实证分析表明，我国粮食比较优势变动，主要受国际市场价格、土地产出率、生产成本、国内价格等综合因素的影响，但各因素对不同粮食品种的影响程度不一样。其中，稻谷比较优势主要与国际市场价格变动有关；小麦比较优势与土地产出率有关；玉米等更多的受生产成本影响。而价格则对所有品种都有影响。过去，政府在粮食短缺时实施的以提高价格为主的宏观调控政策，已使国内粮食等农产品的价格水平居于较高位置，已经超过国际市场粮价 30% ~ 70%。由于高位价格水平，使我国粮食比较优势逐步丧失，出口竞争力大大降低。而国际市场粮食不但产品品质优于我国，而且交易价格也低于我国，致使我国在粮食出口方面处于被动局面。预计今后我国粮食生产的比较优势将进一步下降，尤其是玉米和小麦、大米和稻谷的优势将被削弱。在此情况下，我国一方面要根据已签署的有关协议，降低农产品平均关税，允许外国粮食大量进入。另一方面我国又有大宗粮食因为比较优势丧失而难以出口，不得不转向国内寻求市场（王为农，2006）。

7.3 我国粮食综合生产能力预测

经济学之所以为经济学，是因为它对于限定条件下的经济现象能给出逻辑上合理的解释，在此基础上，借助各种数理模型对未来进行预测（李萌，2005）。所以，预测是经济学研究的重要领域之一，短期预测与长期预测因其分别具有不同的现实政策意义和战略决策意义而有所区别。也就是说，相对于长期预测，短期预测具有更强的现实意义和政策价值。本节我们主要使用灰色系统模型的预测方法，更准确地测算出未来我国粮食综合生产能力的演进趋势，为后续研究提供实证基础，为合理制定粮食政策提供理论依据。

7.3.1 灰色预测理论与模型

7.3.1.1 灰色系统理论

现实客观世界错综复杂、机理万千，使人眼花缭乱，给人以朦胧、不确定的感觉。通过概率与数理统计，人们可以从样本量大、数据多但缺乏规律问题中总结出其大致发展趋势，即"大样本不确定性"问题；通过模糊数学方法，人们可以处理人的经验和认知先验信息的不确定性问题，即"认知不确定性"问题；而灰色系统理论（grey system theory）则是针对既无经验可以借鉴，数据又不完全的不确定性问题，即"少数据不确定性"问题提出来的。

我们要认识某一客观事物的本质，必须要把握它的整体，这就是系统的观点。任何一个系统，总是包含着若干子系统，同时又被若干子系统所包围。通常，系统是复杂的、多层次的子系统的集合。这些子系统之间的关系决定着系统的性能。系统性能或本质有时发生变化，成为新的系统，新系统与外界之间又建立起相对平衡关系。到目前为止，描述和研究系统的理论与方法很多，灰色系统理论是由"黑箱"和"灰箱"演变而来的，1945 年美国控制论专家维纳（N. Wiener）和 1953 年英国科学家 A. Isbo 曾用闭盒（closed box）与黑盒（black box）来称呼内部信息未知的对象。从此以后，人们就常用颜色深浅来表示系统信息完备程度。因此我们把内部特性已知的信息系统，称为白色系统；把未知的或非确知的信息系统，称为黑色系统；把既含有已知的又含有未知的或非确知的信息系统，称为灰色系统。

灰色系统理论是我国华中科技大学自动控制系邓聚龙教授创立的，是控制论的观点和方法延伸到社会、经济系统的产物。它运用的是控制论与运筹学相结合的数学方法，这些方法能较好地处理贫信息系统的问题。灰色系统理论提供了在

124

贫信息情况下解决系统问题的新途径。一个贫信息的系统或灰信息的系统，称为灰色系统。表征灰色系统行为的离乱观测数据，按生成原理处理后，可建立系统的灰色模型，当寻求不到系统的概率特性或隶属特性时，灰色系统模型显现出突出的优越性。

7.3.1.2　灰色系统模型预测原理

首先，从粮食生产影响因子来看，典型具有灰信息覆盖性质，粮食生产灰信息性更加明显，由于影响各年粮食产量的因子各不相同，诸如天气变化、自然灾害、生产要素投入，更有国家宏观政策等不易量化的诸多因素共同作用的结果，因此，粮食生产影响因子具有灰信息覆盖特点。

其次，从粮食产量看，不管各个影响因子如何具体作用于粮食生产的各个环节，每年粮食产量都是具体的、确定的、显性的，具有白信息覆盖，即在诸多影响因素下形成"输出"的确定客观数值，因此说粮食影响因子到粮食产量符合灰因白果律（周慧秋，2005）（图7-6）。

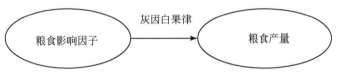

图 7-6　粮食产量灰因白果律

因此，用粮食产量的历史数据建立灰预测模型，符合灰理论完全信息要求，粮食产量即是历年全部影响因子（灰覆盖信息集）作用的结果。

研究采用经典灰模型 GM（1，1）对粮食总产量进行趋势预测以及发展了多维灰模型 GM（1，N）研究各年影响因子（粮食综合生产能力影响因素）对行为因子（粮食总产）的影响程度，并对各个影响因子影响下的未来粮食总产趋势进行了初步探索。

灰色系统理论的数列预测就是对某一指标的发展变化情况所作的预测，其预测的结果是该指标在未来各个时刻的具体数值。例如，在地理学研究中，人口数量预测、耕地面积预测、粮食产量预测、工农业总产值预测等，都是数列预测。

灰色系统理论数列预测的基础，是基于累加生成数列的 GM（1，1）模型。一般而言，一个具有增长趋势的随机数列 $\left\{x_t^{(0)}\right\}_{t=1}^m$ 是不平衡的、无规律可循的，变动趋势是随时间延续波动性增长，不利于对其进行回归模拟，若用纯数学方法硬性拟合曲线，也可得到以对应的数学方程，却会失去其数列本身所代表的经济学和社会学意义，但如对原始数列作一次累加生成处理：

设有一时间序列 $X^{(0)}(t)$，且

$$X^{(0)}(t) = \left[x^{(0)}(1), x^{(2)}(2), x^{(0)}(3), \cdots x^{(0)}(n) \right]$$

对 $X^{(0)}(t)$ 进行一次累加生成序列，得

$$\mathbf{X}^{(1)} = \left[X^{(1)}(1), X^{(1)}(2), X^{(1)}(3), \cdots, X^{(1)}(n) \right]$$

其中 $X^{(1)}(i) = \sum_{k=1}^{i} X^{(0)}(k), (k = 1, 2, \cdots, n)$

这样新生成的数据弱化了原始数据的随机性，使原来的数据明显接近指数关系规律。

设 $X^{(1)}(i)$ 满足一阶单变量常微分方程

$$\frac{\mathrm{d}X^{(1)}(t)}{\mathrm{d}t} + a X^{(1)}(t) = u$$

式中，a 为常系数，u 为对系统的常定输入，

按最小二乘法求解

$$\hat{a} = \binom{a}{u} = (B^T B)^{-1} B^T Y_n$$

$$\text{其中} \ B = \begin{Bmatrix} -1/2 \left[X^{(1)}(1) + X^{(1)}(2) \right] & 1 \\ -1/2 \left[X^{(1)}(2) + X^{(1)}(3) \right] & 1 \\ \cdots\cdots \\ -1/2 \left[X^{(1)}(n-1) + X^{(1)}(n) \right] & 1 \end{Bmatrix}$$

$$Y_n = \left[X^{(0)}(2), X^{(0)}(3), \cdots, X^{(0)}(n) \right]^T$$

这样可求出

$$\hat{X}^{(1)}(t+1) = \left[X^{(1)}(1) - \frac{u}{a} \right] \mathrm{e}^{-at} + \frac{u}{a}$$

那么 $\hat{X}^{(0)}(2) = \hat{X}^{(1)}(2) - \hat{X}^{(1)}(1)$

$$\hat{X}^{(0)}(3) = \hat{X}^{(1)}(3) - \hat{X}^{(1)}(2)$$

……

依次类推

$$\hat{X}^{(0)}(t) = \hat{X}^{(1)}(t+1) - \hat{X}^{(1)}(t)$$

7.3.2 我国粮食综合生产能力预测的单序列模型构建

以 1980～2004 年共 25 年的中国粮食总产量构建模型，模型参数（表7-1）：
$a = -0.012\ 197$ $b = 37\ 040.805\ 938$

$$x\ (t+1)\ =3\ 068\ 856.2\ 37\ 976e0.012\ 197t-3036800.237976$$

表 7-1　中国粮食 GM（1，1）拟合精度及误差

No.	观察值	拟合值	误 差	%
X (2)	32 502.000 00	37 661.017 75	-515 9.017 75	-15.872 92
X (3)	35 450.000 00	38 123.193 93	-2 673.193 93	-7.540 74
X (4)	38 728.000 00	38 591.041 94	136.958 06	0.353 64
X (5)	40 731.000 00	39 064.631 38	1 666.368 62	4.091 16
X (6)	37 911.000 00	39 544.032 72	-1 633.032 72	-4.307 54
X (7)	39 151.000 00	400 29.317 27	-878.317 27	-2.243 41
X (8)	40 298.000 00	40 520.557 23	-222.557 23	-0.552 28
X (9)	39 408.000 00	41 017.825 69	-1 609.825 69	-4.085 02
X (10)	40 755.000 00	41 521.196 64	-766.196 64	-1.880 01
X (11)	44 624.000 00	42 030.744 95	2 593.255 05	5.811 35
X (12)	43 529.000 00	42 546.546 45	982.453 55	2.257 01
X (13)	44 266.000 00	43 068.677 86	1 197.322 14	2.704 83
X (14)	45 649.000 00	43 597.216 87	2 051.783 13	4.494 69
X (15)	44 510.000 00	44 132.242 11	377.757 89	0.848 70
X (16)	46 662.000 00	44 673.833 19	1 988.166 81	4.260 78
X (17)	50 454.000 00	45 222.070 67	5 231.929 33	10.369 70
X (18)	49 417.000 00	45 777.036 13	3 639.963 87	7.365 81
X (19)	51 230.000 00	46 338.812 13	4 891.187 87	9.547 51
X (20)	50 839.000 00	46 907.482 24	3 931.517 76	7.733 27
X (21)	46 218.000 00	47 483.131 08	-1 265.131 08	-2.737 31
X (22)	45 264.000 00	48 065.844 28	-2 801.844 28	-6.190 01
X (23)	45 706.000 00	48 655.708 54	-2 949.708 54	-6.453 66
X (24)	43 070.000 00	49 252.811 62	-6 182.811 62	-14.355 26
X (25)	46 947.000 00	49 857.242 34	-2 910.242 34	-6.199 00

对当前模型的评价：

$C=0.5661$ 一般

$p=0.7500$ 一般

模型的平均预测误差为 5.51%，需要指出的是模型中误差超过 10%（国际上粮食产量预测准确率一般以 10% 为限）只有 1981 年（-15.87%）、1996 年（+10.37%）、2003 年（-14.36%）这三年。分析其历史原因可知，改革开放后的 1978 年、1979 年、1980 年极大提高了种粮农民的积极性，为农业、农村经

济的发展注入了活力，1978年和1979年、1980年我国的粮食产量分别达到了30 477万吨和33 211万吨，分别比1977年增加了2204万吨和4938.5万吨。两年的丰收造成粮食收购价的降低，农民改种收益相对较高的经济作物，1981年的播种面积比1980年减少227.6万公顷，导致1981年粮食产量增加较少；从1994年开始连续两年大幅度提高粮食定购价行为，又导致1996年粮食产量达到4900亿kg的大丰收，这是国家宏观政策经济引导下的超常规增长；2003年粮食的大幅减产则因为前几年连续的粮食丰收所导致的供求结构性过剩而造成粮食播种面积锐减的结果。

尽管我们预测所用的模型精度不是很令人满意，但是可用，按此预测模型，到2010年、2020年，我们预测中国粮食产量将分别达到53 642.8万吨、60 601.6万吨，这介于郭书田按1%和1.2%的增长速度预测的粮食产量之间，2030年我国粮食产量将达到68 463.0万吨，也仅略微超过郭书田按1.2%年增长率预测的粮食产量，因此可以说我们的预测比较符合实际（表7-2）。

表7-2　2000～2030年我国粮食供需平衡表　　　　单位：亿千克

项　目 ＼ 年　份	2000	2010	2020	2030
需求量	4957	5628	6176	6818
1%增长速度	4788	5267	5794	6373
供求缺口	−169	−361	−382	−445
1.2%增长速度	4833	5413	6062	6789
供求缺口	−124	−215	−114	−29
1.4%增长速度	4879	5562	6340	7227
供求缺口	−78	−66	+164	+409

资料来源：郭书田. 我国粮食安全的国际环境及进出口战略研究. 中国农业部软科学课题（课题编号：96016）

需要说明的是GM（1，1）模型预测只是一种趋势预测（表7-3），粮食生产是自然、社会诸因素综合交错作用的结果，模型预测意义并不在于和实际拟合程度有多高，而在于对各种政策方案提出可能出现情况，对世人起警示作用（陈永福，2004）。如果"政策得当、科技保障、老天帮忙"，上述粮食综合生产能力有望成为现实。

表7-3　中国粮食GM（1，1）模型预测结果　　　　单位：万吨

年　份	2005	2010	2020	2030
粮食综合生产能力	50 469.1	53 642.8	60 601.6	68 463.0

第8章
保护和提高我国粮食综合
生产能力的政策措施

从前述章节的分析中我们知道，粮食综合生产能力由投入因素和非投入因素两个方面所影响，粮食综合生产能力的提高由投入的增加、粮食生产函数前沿面的移动和粮食技术效率的提高三个方面所决定。这三个方面的任何一个方面的提高都可以使粮食综合生产能力提高。对于粮食综合生产能力的提高我们可以通过政策刺激投入、改善资源配置以及提高资源的转化效率来达到，因此，对于政策而言我们就不作更为具体的区分，可以称之为保护和提高粮食综合生产能力的"一揽子"政策。

8.1　切实保护和提高耕地质量，稳定种粮面积

耕地是极为宝贵、难以替代的稀缺资源，是粮食生产的基础和粮食安全的根本保障。耕地在粮食生产系统中起着其他生产要素不可替代的作用，其他的各种投入要素都是通过直接或间接作用于耕地才能对粮食综合生产能力的保护和提高发挥作用的。因此，只有保持足够数量的耕地，才有可能稳定粮食产量，保护和涵养粮食综合生产能力。特别是在中国农业科学技术没有获得重大突破、粮食单产增幅有限的情况下，保障粮食安全的根本选择，应当放在稳定一定数量和质量的耕地上。

8.1.1　建立严格的耕地管理制度，确保耕地面积

目前，中国人均耕地只有 1.43 亩，仅相当于世界平均水平的38%，中国基本农田仅保持在 16 亿亩左右，离临界点已经很近。据统计，自 20 世纪 80 年代以来，中国耕地面积每年减少呈激增的趋势，1998~2003 年全国耕地面积减少7461 万亩，减少了 5.2%，全国粮食播种面积减少 17 345 万亩，减少了10.16%。中国耕地资源短缺已是不争的事实，道路交通、城市扩大还将继续占用耕地，浪费耕地的现象也很普遍，如何保护好有限的耕地，特别是粮食耕地，

是保障粮食安全的基础，也是保护粮食综合生产能力的重要内容。

1) 要严格控制国家征地，即把国家征地严格限制在"最狭义公益需要"的范围内。具体而言，主要包括国防、政府办公、防止自然灾害（如防洪、治沙、保持水土等）、改善生态环境（如造林、扩大湿地等）、非营业性休闲用地（如公园、绿地、广场等）之类，至于工业、商业、交通、住宅等用地均不在此列。只有这样，方能从根本上解决耕地大量占用问题。土地征用制度改革的基本思路如下：一是对于上述限定的国家公益性事业建设用地，可以通过国家征用耕地的途径获得土地使用权，但要大幅度提高土地补偿费、安置费标准。让征地费用真实地反映土地征用的全部机会成本。一是对工商业等经营性建设用地，不再进行国家先征用、再出让的办法，而是在依法办理农用土地转为建设用地后，允许农村集体土地进入土地一级市场，以土地使用权入股、出租等方式直接参与土地开发。二是政府出让征用的农村集体土地获得的净收益要规定一定比例投资农业改善农业生产条件（杨瑞珍等，2005）。

2) 贯彻落实党中央、国务院的重大部署，认真贯彻和执行《农业法》、《土地管理法》、《水土保持法》等一系列法律法规，有效实施土地用途管制，进行土地利用区分，明确是公益性用地还是经营性用地。规定土地用途，土地所有者、使用者必须严格按照土地利用总体规划确定的土地用途和使用条件开发利用土地。进一步实行严格的耕地保护制度，推行补充耕地质量和数量按等级折算，确保补充耕地的数量和质量。对农用地特别是耕地实行特别保护，严格限制农用地转为建设用地，控制建设用地总量，保证耕地面积不再减少。禁止城市建设无限制占地，招商引资随意送地，各类园区、开发区以及企业大量圈地等现象，合理利用每一寸土地，努力增加耕地面积。

3) 要认真贯彻和落实《基本农田保护条例》，加大基本农田保护力度，确保基本农田数量不减少、用途不改变、质量不下降。

4) 在保护土地资源的同时，不断开发后备耕地资源。虽然我国耕地后备资源也十分有限，60%以上分布在水源缺乏或者水土流失、沙化、盐碱化严重的地区，但是经过治理整顿及生态环境的建设，是可以开发和利用的。要统筹安排耕地后备资源的开发利用，盘活存量土地，大力开展基本农田整理，促进补充耕地数量、质量、生态三者统一。中国现有荒地 10 800 万公顷，其中，宜农荒地3535 万公顷，可开垦为耕地比例约占42%左右；林业用地面积 26 329 万公顷，其中宜林荒山荒地（含宜林沙）5393 万公顷；草原面积 40 000 万公顷，其中可利用面积 31 333 万公顷。在加强对现有耕地保护的同时，应加快宜农荒地的开发和工矿废弃地的复垦，重视综合开发利用山地、水面、草原等国土资源，因地制宜，发展多种经营，进而增加各类食品产量，如增加肉类、奶类、水产品、水果等食品的供给。

5) 要实施土地整理工程，严格执行土地利用总体规划和年度土地利用计划，实现耕地占补平衡，认真落实耕地保护目标责任制，确保基本农田保护区面积稳定，把耕地减少控制在最低限度。

8.1.2 采取积极有效措施，努力提高耕地质量

8.1.2.1 以法律措施保证耕地质量的提高

除建立完善的耕地质量保护和建设目标责任制度。县级以上地方人民政府应建立该行政区耕地质量状况档案，完善耕地地力与环境污染监测网络，定期组织专家对监测进行审定，并将检查结果书面报告上一级人民政府。对因未能培肥耕地土壤，造成耕地种植条件严重破坏、地力衰退或者严重污染的单位和个人，应当依照《中华人民共和国农业法》、《中华人民共和国土地管理法》、《基本农田保护条例》等有关规定，予以制止和纠正，并给予处罚。对情节严重、构成犯罪的，追究刑事责任。

8.1.2.2 加强坡改梯土地整理，有力推进农业结构调整，防治水土流失

水土流失带走了大量土壤养分，造成土壤贫瘠化，是严重制约农业生产发展的瓶颈。因此有必要采取措施，防止水土流失。在生态脆弱地区，切实改变农业耕作方式，结合山川秀美工程，大力推进坡改梯为主的土地整理结合实际生态退耕。在个别人多地少的山区，25°以上坡改梯耕地可以保留，坚持"适度退耕"原则；而在人少地广地区，鼓励"该退就退、连片全退"。为确保农民在生态退耕后"能致富，不反弹"，要摒弃过去的"输血"机制，积极引进能解决长期生活和生产出路的"造血"机制。为此，可引导扶持农民优先利用生态退耕地发展经济作物，积极推行"粮林（果）间作"的退耕还林（草）与农业结构调整相结合的模式。同时，通过退耕还林和耕作措施的改善来防止土壤的盐碱化和荒漠化（马文杰等，2005）。

8.1.2.3 合理的农艺措施以保护耕地质量

①培肥地力，这是提高耕地质量的重点增施。有机肥是我国传统农收的精化措施，应从思想上扭转日前只重施化肥轻施或小施农家肥的倾向。②合理耕作，提倡水旱轮作或不同农作物的轮作种地与养地相结合，适当增加养地作物的比重。③防治耕地土壤的污染。要合理施肥，提倡使用低残留农药、可降解的塑料薄膜，提倡生物治虫，不使用不符合环保标准的灌溉水源等（叶秀如，2004）。

8.1.3　加快中低产田改造

根据我国 1990 年开展的"四荒四低"资源调查的结果，我国有中低产田 8744.6 万公顷，占耕地总面积的 71.3%。其中，中产田 3637.2 万公顷，低产田 5 107.4 万公顷，分别占耕地总面积的 29.6% 和 41.6%。中低产田比例较大的区域依次是华南区、成都平原及长江中下游区、内蒙古及长城沿线区和甘新区。在这些地区，中低产田面积分别占耕地的 77.9%、76.4%、73.7% 和 72.8%，数量十分可观（李晶宜，1998）。

关于中低产田的增产潜力，国内已经有很多学者都做了研究和论述。根据我国多年来改造中低产田的试验和实践：改造潜育型稻田、渍涝地、盐碱地和干旱缺水地，增产粮食可达 1500~2300 千克/公顷；北方旱改水种稻，增产粮食可达 2250~3000 千克/公顷；改造坡耕地、风沙地、耕层浅薄地、过黏或过沙地，增产粮食可达 750~1500 千克/公顷。据此推算，如果能将我国现有的中低产田初步改造一遍，至少可新增粮食 1 亿吨（李晶宜，1998）。

在中低产田改造过程中还可以结合土地整理，实行沟、渠、林、田、路、村的综合合理规划，不但可以大大改善土地生态环境，提高土地利用的生态效益，还可以有效防治土地退化，推动土地利用方式向可持续利用方向转变（张琳等，2005）。虽然通过中低产田改造可以提高产量，但单产增加不是无限的，还要注重保护耕地，避免重蹈耕地污染和过度掠夺地力的覆辙。

8.2　建立农业资源的政策保护体系

8.2.1　合理利用水资源

水资源关系到经济、社会的可持续发展，人类的生存与发展，社会的稳定，以及科技发展与文明进步等。水更是农业的命脉，很大程度上制约着我国粮食生产与粮食综合生产能力的提高。因此，合理利用水资源，发展节水农业，提高农业用水利用效率对于我国粮食综合生产能力的提高具有重要的现实意义。

8.2.1.1　依靠法律和行政手段实现水资源有效管理

①建议成立国家水资源合理利用领导小组，协调工业用水、农业用水和生活用水，实施水资源综合利用战略，提倡节水，提高水资源利用效率。②建立一整套的水管理法规体系，并加大实施力度。建议国家尽快出台《水利工程供水价格管理办法》、《水资源费征收管理办法》、《流域管理法》、《水资源节约和综合利

用促进法》等，健全完善水政执法监察制度，强化水资源管理的执法监督工作。实行水资源统筹调度，地表水与地下水之间、城市与乡村用水之间、生产与生活用水之间、水资源利用与保护之间、用水与节水之间要统一协调。③加大对水污染的惩罚力度，提高水资源管理部门与环保部门的行政效率，以最大限度地减少水的污染。④缺水已经影响到社会的生存与发展，为此建议将其作为我国的一项基本国策，以确保这项工作的长期稳定性，加快节水型社会建立的步伐。

8.2.1.2　加快水价改革

水价是水利发展机制的关键，也是提高水资源利用率的重要经济手段。根据国外经验，水价提高10%，用水量下降5%；水价提高40%，用水量下降20%。可见，价格对资源的配置有着十分有效的作用（王为农，2006）。因此，建立适应市场经济体制的水价体系，通过适当调高水价、累进加价、季节差价、质量差价等鼓励节约用水和重复用水，提高水资源利用效率，促进水资源的利用由粗放型向集约型转变。

8.2.1.3　做好水资源的科学规划

①做好全国水资源的科学规划，加快水利基础设施建设，把江河控制性工程，调水、引水工程建设放在优先位置。②依据《水法》规定，明确水资源国家所有、集体经济组织所有的水塘、水库水的性质，逐步确立水权的观念，刺激节约用水。③认真研究建立用水配额管理的可行性。从全国情况来看，目前实行到户的农业用水配额管理，各方面条件还不具备，但在流域水资源管理上是可行的，要着手研究进一步推广农业用水配额的可行性。④针对我国目前水资源管理状况，借鉴发达国家成功的水资源流域综合管理经验，必须尽快建立由中央政府直接管辖的流域管理机构，将目前分散在各部门的管理水的职能整合，由法律重新赋予职能形成有效的管理体制。

8.2.1.4　开展以提高用水效率为中心的技术革命

节约和高效用水是缓解农业用水短缺的重要措施之一。要认真做好适用技术推广、方便设备研制和科技培训工作，为达到节约高效用水提供保障。一是研究开发基于4S技术的精确节水灌溉技术，进行精确作物管理。将4S技术应用于作物的节水灌溉，对于节水灌溉技术的创新和发展现代农业均具有十分重要的战略意义。二是示范推广田间节水灌溉新技术。目前，常用的节水灌溉技术有：波涌灌溉技术、水平畦田灌溉技术和地下滴灌技术。这些技术操作简便、应用广泛、节水增产效益显著，与传统地面灌溉相比，水利用率可提高50%，增产28%。三是建立作物节水高效灌溉制度。作物节水高效灌溉制度是以最少的灌溉水投入获取最高效益而制订的灌溉方案。实施作物节水高效灌溉制度，不需要昂贵的工程和设备投入，农民易于掌握和操作，是我国发展节水农业主要技术支撑。四是鼓励采用井渠结合，地表水与地下水联合运用技术。采取井渠结合灌溉，既能重复利用渠道输水和田间灌溉渗漏的地表水，又能确保农作物适时适量灌溉用水。五是开发再生水灌溉高效安全利用技术。再生水是对污水进行净化处理后用于灌溉的水，可缓解我国农业用水的巨大压力。我国污水灌溉农田主要集中在海、辽、黄、淮四大河流域，约占全国污水、废水灌溉面积的 85 ％，发展潜力很大（张伟天，2004）。

8.2.2 保障粮食生产资料的正常供应

（1）加强农业生产资料价格控制

化肥、农药、农膜等粮食生产资料价格的过快上涨，对于粮食综合生产能力的影响相当严重，在未来的粮食综合生产能力政策中，应把对粮食生产资料的价格控制作为重点，具体途径有：一、每年组织相关部门定期开展对农业生产资料价格专项检查，严厉查处价格违法行为，坚决打击扰乱市场正常秩序的不法行为；二、对粮食生产资料价格进行合理干预，对于粮食生产资料的出厂指导价、最高零售价、进销差价等作出具体规定，并严格执行。

（2）增加农业生产资料的供应

两条途径：一是增加国内农用工业的生产量。目前国内农用工业生产，无论是在数量上还是在质量上，都存在问题。政府应该集中投资抓紧兴建一批大型的、高质量的农用工业企业，如尿素厂、复合肥厂、农膜厂及新品种的农药厂等。同时，对现有农用工业加紧改造，挖掘潜力，提高产品的数量和质量。二是进一步扩大进口。由于未来相当一段时间，国内供应能力还难以满足农业生产和粮食生产的需要，我们还必须利用国际市场，适当扩大农业生产资料的进口。

（3）建立农资直接补贴机制

国家应该借鉴粮食流通体制改革的经验，把对粮食流通部门的补贴转变为对农资价格直接补贴方式，打消种粮农民对农业生产资料涨价的担心，激发农民对种粮的投入积极性，构建农民种粮投入的长效机制，保护和提高粮食综合生产能力。另外，政策应对边远贫困县和受灾县化肥供应给予特殊照顾，确保每年春耕用肥的及时到位和各省财政补贴的优惠政策真正落实到农民头上。

（4）改革和完善农资储备制度

改革和完善农资储备制度，应引入市场竞争机制，通过招投标方式，除了供销社系统外，允许其他流通企业、生产企业乃至农村大户等，参与化肥、农膜等农资淡季储备的竞争。这样做，一是可以较少财政贴息，在淡季储备更多的农资；二是可以促进参与竞争的储备企业改善经营，减少成本，增加储备；三是允许并鼓励农村大户参与储备，这样可以缓解农资储备企业仓储不足的困难，给农民吃下"定心丸"。

8.3　促进粮食产业化发展

发展粮食产业化是保护农民种粮积极性的重要举措。在我们这样一个拥有13亿人口、农业人口占80%的发展中国家，保护农民种粮积极性是关系到国计民生的大事。目前我国粮食生产靠天吃饭的局面并没有根本改变，粮食生产能力并不稳定，粮食生产周期长、比较效益低，粮食生产难进易退，不可能指望临时"抱佛脚"；也不可能指望通过进口粮食来养活13亿人口。只有靠粮食产业化经营，将农民与粮食生产流通各环节连接起来，通过长期合约形式和利益机制，确保农民生产粮食的合理利润，才能从根本上保护农民种粮积极性。

8.3.1　把粮食订单作为产业化经营的突破口

大力推行"企业＋中介组织＋农户"、"股田制"等经营模式发展粮食订单，按照市场需要组织优质粮生产。通过订单建立中介组织，拉动优质粮基地生产，将龙头企业与农户连接起来，改变过去买原粮、卖原粮的做法，将加工企业与购销企业联合起来，开展产业化经营。实行全员订单责任制，组织粮食企业员工包村到户，采取"六包一挂"的方法，即包订单签订、包种子供应、包技术指导、包信息传递、包收购兑现、包种子回收、绩效挂钩。建立合理的利益分配机制，实行二次分配、二次结算等方式，让农民分享到销售、加工等后续环节的利润。同时，要规范粮食订单，建立监督检查机制，以此提高农民订单履约率，促进农民种粮积极性的提高（董若愚、伍万云，2005）。

8.3.2　壮大龙头，夯实产业经营基础

一是要结合企业改组、改制，整合资源，培育龙头企业。利用粮食企业原有仓储、加工和运输优势，实行资源的优化组合，保留优势经营项目，培育发展为龙头企业。二是要实行贸工农结合，强强联手，打造龙头企业。通过走贸工农一体化、产供销一条龙的路子和模式，形成企业龙头。三是要走"科技兴业"之路，创立龙头企业。大胆引进项目、引进科学技术和先进设备，依靠科技振兴粮食产业。四是创造良好的外部环境，扶持龙头企业。各级政府及有关部门应切实制订扶持龙头企业发展的政策措施，促进企业扶持发展（卢世刚，2006）。

8.3.3 大力培育粮食产业化中介组织，建立粮食社会化服务体系

通过龙头企业或粮食种植大户发起，成立全国或地方性的、由粮食种植大户、科研、财政、金融等部门共同参与的水稻、小麦、玉米等专业协会，对粮食行业实行自律性管理，督促会员依法经营；为会员提供经济、技术、法律、信息咨询服务；发挥粮食产业化中介组织的作用，连接生产与消费、农户与市场，促进粮食种植结构调整，带动农民增收、企业增效；组织交流粮食生产、经营和管理方面的先进经验，促进技术进步和管理创新，推动粮食加工业走新型工业化道路等。

8.4 优化粮食生产的区域布局，加强对粮食主产县的扶持

8.4.1 优化粮食生产的区域布局

8.4.1.1 发挥区域比较优势，优化粮食生产资源配置

在东部沿海经济发达地区和大中城市郊区，应面向国内外市场需求，适当减少粮食种植面积，积极发展高价值经济作物，发展出口创汇农业；在西部山区，特别是长江、黄河上中游，以及部分湖区、牧区，应把不宜种粮的土地退耕还林、还草、还湖，转而发展高价值的林果业、畜牧业、水产业，发展生态经济，实现可持续发展；在中部和东北粮食主产区，应继续发展粮食生产，并以粮食为原料大力发展畜牧业、食品加工业，拉长粮食多层次增值链条，走出一条富民强省新路。中部和东北粮食主产区发挥粮食比较优势，是东部沿海和西部山区适当减少粮食种植面积、发展特色农业的重要保证，更是我国粮食安全得到保障的根本保证。

中部地区是我国粮食有精耕细作的传统生产的区，光、热、水等自然条件好，应集中建设商品粮基地，巩固粮食生产。东部地区面临开放的前沿地带，区位优势明显，可适当放弃一些比较优势差的种植品种，发展创汇农业、出口外向型农业，腾出东部地区的市场份额。西部地区则根据资源条件发展具有区域特色的优势农产品，如特色林果业、畜牧业、水产业等，逐步形成各具特色的有市场竞争力的农业产业带和产业群体。

对中部粮食主产区采取特殊的倾斜政策，加强优质专用粮食生产基地建设、稳定粮食播种面积、增强粮食生产能力，为国家提供稳定的优质商品粮源；东部和大中城市郊区，依法保护基本农田的基础上，适度调减粮食播种面积，扩大经济作物生产，大力发展外向型、城郊型和高科技农业，为主产区粮食腾出市场空

间；西部和生态脆弱地区要加快发展生态农业、特色农业和旱作节水农业，在退耕还林、还草中坚持"以建保退"，在适宜区建设人均半亩的高产稳产基本农田，保证这些地区一定的粮食自给率。

8.4.1.2　建立新型的粮食区域分工合作关系

根据我国国内外环境变化和加入 WTO 的要求，今后东部地区（粮食主销区）应放弃粮食生产，转向发展比较优势明显、竞争能力强的外向型农业和农产品，主动为粮食主产区腾出国内市场空间。粮食主产区则要在注重调整品种结构、发展优质粮食品种的基础上，发挥粮食资源优势，迅速并全部占领东部地区腾出的粮食市场，实现粮食区域平衡基础上农民收入的尽快增加。要按照"粮食饱和时，需方优先提供市场；粮食紧张时，供方优先提供粮源"的原则发展双方的合作关系。从现在起，要在实现产销的区域分工中，运用中央与地方两级多方财政转移支付手段，着力解决好诸环节利益分配，逐次建立产销双方利益补偿、共享与风险共担、分流的运作机制，实施"以财力换粮食"、"以资金换资源"的战略。

8.4.1.3　优化粮食生产结构，重点发展优质粮食品种

（1）优化粮食作物布局，增加优质产品种植

从今后发展的粮食品种方面看，早稻主要是压缩适口性差、出米率低、市场滞销的早籼稻面积，发展早稻优质品种。调减不适宜种植区的早稻种植面积，改种其他粮食作物；拓宽稻谷用途，发展高产量、高蛋白质和高出糙率的饲料稻谷和加工专用稻生产；小麦要特别注意发展面包、饼干所需的强筋、弱筋专用小麦，重点抓好黄淮海地区优质冬小麦开发和提高东北优质春小麦品质；玉米要重点发展高淀粉、高油、高糖等专用型玉米的生产。

（2）积极发展优质粮食

我国农业生产实践表明，发展优质粮食品种，可以较大幅度地增加农民收益。例如，发展优质水稻，产量比普通的低 3%，生产成本高 5% ~ 10%，但单位净产值和纯利润大大高出普通水稻。沿海的广东省，优质稻每公顷的纯利润为 2782.5 元，是普通水稻的 5.5 倍；内陆地区的湖南省，优质稻每公顷纯利润为 2829 元，是普通稻的 4.2 倍。为了进一步调动粮食主产区和种粮农民的积极性，确保国家粮食安全，农业部还编制了《国家优质粮食产业工程建设规划（2004 ~ 2010 年）》，并且已经得到了国务院的批准。该规划把 2004 ~ 2007 年作为一期项目，2008 ~ 2010 年作为二期项目。《国家优质粮食产业工程建设规划（2004 ~ 2010 年）》将在 13 个省区（441 个县、43 个国有农场）重点选建 9 个优势产业带，即黄淮海平原、长江中下游平原和大兴安岭沿麓的 3 个优势专用小麦产业

带；东北和黄淮海平原的 2 个专用玉米产业带；东北地区、长江流域一季稻区和长江流域双季稻区的 3 个优势水稻产业带；东北地区的 1 个高油大豆优势产业带。全面实施优势专用良种繁育项目、标准粮田建设项目、农机装备推进项目和粮食加工转化项目。

（3）积极开拓小杂粮市场，提高西部地区粮食产出水平

小杂粮种类较多，与大宗粮食比较，具有以下优势：生育期较短、适应性较广、耐旱耐瘠薄、可与"大粮食"作物进行间作套种，可以提高 25°以下旱坡瘠薄耕地的利用率、优化粮食种植结构。小杂粮作物营养丰富、全面，既可食用，又可饲用、药用和菜用，小杂粮是我国重要的出口换汇品种，量小价值高。

8.4.2　加快商品粮生产基地的建设

"八五"、"九五"期间，国家通过商品粮生产基地县的建设，改善了粮食生产环境和条件，提高了粮食综合生产能力。加入 WTO 后，我国要在大宗农产品方面抵御国外进口粮食的冲击，并扩大国内粮食出口，关键是尽快建立一批具有强大国际竞争优势的优质专用粮食集中产区（产业带）。要紧紧针对加入 WTO 后我国粮食受进口粮食冲击最大的品种和我国最具有国际竞争力的品种，结合《优势农产品区域布局发展规划》，重点抓好黄淮海和大兴安岭沿麓优质强筋小麦产业带、东北黄淮海优质饲用玉米产业带、长江中下游长粒型优质籼稻集中产区、东北优质粳稻集中产区，东北、内蒙古高油大豆产业带、黄淮海高蛋白质大豆产业带，西北、华北北部优质小杂粮产业带建设，使之在抵御进口和扩大出口方面发挥中流砥柱的作用。

2004 年实施的《国家优质粮食产业工程建设规划（2004～2010 年)》针对我国粮食生产近年来出现的新情况，提出在 13 个粮食主产省区选择一批有基础、有潜力的粮食大县和国有农场，着力加强优质粮食产业基地基础设施建设，整体实施良种繁育、病虫害防治、标准粮田、现代农机装备推进和粮食加工转化项目，促进优质粮食产业的发展。实施优势粮食产业工程，对于保持和提高粮食综合生产能力、确保国家粮食安全、增加主产区农民收入和促进区域发展都具有十分重要的意义。

8.4.3　重点扶持一批商品粮大县（市）

今后农业综合开发每年将把中央财政新增资金的 80% 以上，集中用于粮食主产区。考虑主产区财政困难的实际，农业综合开发将进一步降低主产区地方财政资金配套比例，并突出解决主产区地、县两级财政配套困难，取消国家扶贫工

作重点为财政配套任务。

建设商品粮基地的政策始于 1983 年，主要在长江中下游和东北两大区域的黑龙江、吉林、内蒙古、湖南、湖北、江西等 11 个省（区），选择了 60 个商品粮基地作为试点展开。尔后商品粮基地数目不断增加，到 2001 年，国家已经投资建设了 1003 个商品粮基地。商品粮基地在布局上，以东北平原、黄淮海平原和长江中下游平原等粮食调出省（区）为主，兼顾调入省（区）的产粮大县；在品种结构上，以水稻、小麦和玉米生产基地为主；在建设内容上，重点加强与粮食生产直接有关的农田水利配套工程、中低产田改造、良种繁育体系、农业技术推广体系和农机配套等农业基础设施建设，以改善农业生产条件，提高粮食综合生产能力和科技水平，增强粮食生产抗御自然灾害的能力。商品粮基地在保障我国粮食生产持续增长、稳定提供商品粮方面发挥了重要作用（张红宇，2005）。

国家要像扶持贫困县那样帮助粮食主产县摆脱困境、化解矛盾，尽快实现新的社会经济发展目标：一方面，要把帮助粮食主产县发展经济列入各级政府经常的重要议事日程，做到有目标、有规划、有措施、有检查、有成效，年年抓、层层抓、有专人抓，常抓不懈，不受粮食形势变化的干扰。另一方面，要有具体、可行、有效的措施。一是适时、适度提高粮食收购价格，尽快解决种粮比较效益偏低的问题，逐步形成一种规范性的粮食调价制度，避免人为干扰。二是增加财政及信贷投入，其重点是商品粮基地县建设，农业基本生产条件的改善，粮食风险基金、储备基金的建立，农产品收购资金的及时足额到位，新上农副产品加工项目向主产区转移等。三是建立公平、合理、有约束力的粮食产销区利益关系，重点是在国家宏观调控下，根据流入流出习惯，在尊重市场规律的前提下，建立起直接的、形式多样的、相对稳定的产销联系，把两者在粮食"产、销、存"全过程中的经济利益捆在一起，利益共享、风险共担，并以合同的形式明确下来。四是在粮食等主要农产品集散地和有条件的地区，建立农副产品综合批发市场，增大市场调节力度，缓解周期性的农产品"卖难"。五是建立健全粮食监测、预警系统，科学预测区域性、全国性及国际性粮食种植、市场供求、价格变动、储备增减动态；适时发布国家粮食政策（特别是购销政策）的调整变动情况及中长期灾害性天气预报，等等，使生产者能及时调整品种结构和生产规模。

8.4.4 对粮食主产区进行区域支持

粮食作为一个社会效益高、比较收益低的弱势产业，对其进行保护是毋庸置疑的。为了提高种粮农民收入和生产积极性，国家推行粮食直接补贴制度和逐步减免直至取消农业税政策，这些都是粮食支持保护的重要内容。但是发挥区域优势和比较优势，与国家的这些粮食支持保护政策结合起来，进行粮食区域支持是粮食生产成本最小、收益最大的一种支持方式，是保持粮食生产持续增长的一种长效机制。区域支持是指在全国范围内根据粮食生产的比较优势选择粮食支持区，主要是粮食主产区。这种支持方式缩小了粮食支持的范围，国家就可以把有限的资金最大化集中保护一批适合种植粮食、种粮比较效益相对较高的地区，有利于充分利用自然资源，发挥区域粮食生产优势，促进粮食产区专业化生产和产业化经营，提高粮食单产、增加粮食产量。粮食区域支持的措施，一是对种粮农户进行直接补贴，减少行政、流通等环节对粮食补贴的扣押截流，确保农民生产粮食能够得到实惠。二是继续实行最低保护价制度，对粮食生产实行价格支持。三是加大对粮食主产区的各种农田水利、基础设施建设的力度，减少农民的各种非生产性费用的支出。四是加大科技推广和品种改良的力度，提高优质粮食比例和粮食品质。五是加大对主产区的财政转移支付力度。六是建立和完善粮食生产经营保险体系。七是进一步完善粮食市场体系建设，促进粮食流通。

8.5 加强农田水利基础性设施建设，抵御自然灾害

8.5.1 加大财政对农村水利建设的支持力度

中国共产党第十六届中央委员会第五次全体会议明确提出加大各级政府对农业和农村增加投入的力度，扩大公共财政覆盖农村的范围，强化政府对农村的公共服务。当前，我国国民经济快速增长，固定资产投资、国家财政收入和支出大幅增加，2003、2004 两年 GDP 增量在 12 000 亿元以上，固定资产投资增量在 10 000 亿元以上，财政收入和支出增量在 2000 亿元以上，为加强农村水利建设投入奠定了坚实的基础。即使每年从新增财政收入中拿出很小的比例，也能大幅提高水利建设投入。以 2004 年为例，当年新增财政收入 4640.6 亿元，拿出 3% 就有约 139.22 亿元，5% 就有约 232.03 亿元。加大财政对农村水利的投入，不仅可以极大地抵消"两工"取消的影响，还能增加农民的就业和收入。因此，应建立农村水利投入"财政稳定器"，为农村水利建设提供有力的资金保障，同时可以发挥投资的乘数效应，增加农民收入、扩大农民消费需求、进一步拉动经济增长、增加政府财政收入，形成良性的循环。

除了加大国家财政对农村水利基础设施建设的支持力度，还应积极探索以政府为主导、农户自愿投入为基础、其他经济组织参与的多元化投入方式，充分调动农民投资投劳的积极性，通过把政府补助与农民自筹挂钩、多筹多补、先干后补等一系列措施鼓励农民继续或重新担当农田水利基本建设的重任，鼓励和吸引社会资金，逐步建立保障农村水利稳步发展的长效机制，建立"以工促农、以城带乡"的水利投入机制（王晓东等，2006）。

8.5.2 积极推进农村水利管理体制改革

搞好该项改革应遵循以下原则，一是要正确处理水利工程的社会效益与经济效益的关系。既要确保水利工程社会效益的充分发挥，又要引入市场竞争机制，降低水利工程的运行管理成本，提高管理水平和经济效益。二是要正确处理水利工程建设与管理的关系。既要重视水利工程建设，又要重视水利工程管理，在加大工程建设投资的同时加大工程管理的投入，从根本上解决"重建轻管"问题。三是要正确处理责、权、利的关系。既要明确政府各有关部门和水管单位的权利和责任，又要在水管单位内部建立有效的约束和激励机制，使管理责任、工作效绩和职工的切身利益紧密挂钩。在遵循上述原则的基础上，应加大以下三项改革的力度：一是要加大水利工程管理体制改革力度；二是要积极推进水价改革；三是要加快农村小型水利工程产权制度改革，尽快出台具有指导性和可操作性的农村水利工程建设的管理办法和章程，对资金投入使用和建设管理加以规范（李少民，2005）。

参 考 文 献

阿兰·G.格鲁奇.1985. 比较经济体制.徐节文译.北京：中国社会科学出版社.

陈金湘.2001. 农业系统工程学.长沙：湖南科学技术出版社.

陈圣飞.2001. 地区间农业生产率的差异及成因分析.经济问题,（3）：37－39.

陈锡文.2000-11-14 "粮食安全"问题.中国经济时报,5.

陈艳文,赵伟.2005. 对粮食直补政策效果的分析.天府新论,（11）：65－66.

陈永福.2004. 中国食物供求与预测.北京：中国农业出版社.

程国强.2005. 粮食安全必须立足本国.瞭望新闻周刊,10（49）：75.

崔晓黎.2001. 新世纪我国大农业空间格局调整是当务之急.中国农村经济,（1）：44－47.

丹尼尔·贝尔.1989. 资本主义文化矛盾.赵一凡等译.北京：生活·读书·新知三联书店.

邓大才.2003. 论政府在粮食经济中的基本定位.中国粮食经济,（2）：8－9.

丁声俊,朱立志.2003. 世界粮食安全问题现状.中国农村经济,（3）：71－80.

董若愚,伍万云.2005. 产业化经营是保护农民种粮积极性的必由之路.安徽农业大学学报,
　14（6）：47－52.

凡勃伦.1982. 有闲阶级论.蔡受百译.北京：商务印书馆.

樊纲.1996. 渐进改革的政治经济学分析.上海：上海远东出版社.

封志明,李香莲.2000. 耕地与粮食安全战略：藏粮于土,提高中国土地资源的综合生产能
　力.地理学与国土研究,16（3）：1－5.

冯海发.1990. 中国农业总要素生产率变动趋势及增长模式.经济研究,（5）：47－54.

冯海发.1993. 总要素生产率与农业发展.当代经济科学,（2）：56－64.

傅泽强,蔡运龙,杨友孝等.2001. 中国粮食安全与耕地资源变化的相关分析.自然资源学报,
　16（4）：313－319.

高帆.2005. 中国粮食安全研究的新进展：一个文献综述.江海学刊,（5）：82－88.

高鸿业.1996. 西方经济学.北京：中国经济出版社.

高培勇,崔军.2001. 公共部门经济学.北京：中国人民大学出版社.

顾焕章,王培志.1994. 农业技术进步对农业经济增长贡献的定量研究.农业技术经济,（5）：
　11－15.

郭敏,屈艳芳.2002. 农户投资行为实证分析.经济研究,（6）.86－92.

郭造强.2000. 河北省粮食生产能力的思索.中国资源与区划,21（3）：34－36.

郭忠兴.1999. 制度和政策因素对粮食供给的影响：以江苏为例.南京：南京农业大学.

国家科委全国重大自然灾害综合研究组.1994. 中国重大自然灾害及减灾对策（总论）.北京：
　科学出版社,81－83.

农业部.1997. 中国农业发展报告.北京：中国农业出版社.

农业部.2005. 2004年农业发展报告.北京：中国农业出版社.

韩晓燕，翟印礼．2005. 中国农业生产率的地区差异与收敛性研究．农业技术经济，（6）：52 – 57.

胡鞍钢，吴群刚．2001. 农业企业化：中国农村现代化的重要途径．农业经济问题，（1）：9 – 21.

胡华江．2002. 农业生产率的综合指数法．农村经济，（4）：7 – 10.

胡靖．2000. 中国粮食安全：公共品属性与长期调控重点．中国农村观察，（4）：24 – 31.

胡小平．2001. 宏观政策是影响中国粮食生产的决定性因素．中国农村经济，（11）：54 – 57.

黄季焜，S. Rozelle．1998. 迈向 21 世纪的中国粮食经济．北京：中国农业出版社．

姜爱林．2004. 关于粮食综合生产能力研究的几个问题．粮食科技与经济，（2）：10 – 12.

姜志德，常国庆，杨立社，王青．2004. 确保中国粮食安全的科技发展战略与政策．中国农学通报，（6）：355 – 357.

康芒斯．1962. 制度经济学．于树生译．上海：商务印书馆．

李成贵．2004. 粮食直接补贴不能代替价格支持——欧盟、美国的经验及中国的选择．中国农村经济，（8）：54 – 57.

李成贵，王红春．2001. 中国的粮食安全与国际贸易．国际经济评论，（5 – 6）：57 – 59.

李春海．2004. 以提高粮食主产区综合生产能力来确保中国粮食安全．天府新论，（3）：44 – 46.

李道亮，傅泽田．2001. 农业结构调整时期我国粮食生产能力储备的若干对策．农业经济问题，（4）：10 – 12.

李发勇．2005. 基于定向技术距离函数的技术效率测算及应用．成都：四川大学．

李晶宜．1998. 中国农业资源的可持续利用．中国人口·资源与环境，8（4）：11 – 15.

李萌．2004. 人力资本与劳动力就业．统计与决策，（12）：111 – 112.

李萌．2005. 中国粮食安全问题研究．武汉：华中农业大学．

李少民．2005. 农田水利基本建设现状、成因及对策探讨．河南农业，（12）：10 – 42.

李文学．2004. 解读粮食综合生产能力．农村工作通讯，（10）：1.

梁荣．2005. 农业综合生产能力初探．中国农村经济，（12）：4 – 11.

林毅夫．1994a. 制度、技术与中国农业发展．上海：上海人民出版社．

林毅夫．1994b. 中国的奇迹：发展战略与经济改革．上海：上海人民出版社．

林毅夫．2000. 在农村经济结构调整中创造巨大需求．人民论坛，（1）：15 – 16.

林毅夫．2004. 入世与中国粮食安全和农村发展．农业经济问题，（1）：32 – 33.

刘建峰．2003. 我国农业科技进步贡献率测算研究．南昌：江西财经大学．

刘明亮，陈百明．2000. 自然灾害发生状况的相关分析．灾害学，15（4）：78 – 85.

刘维．2003. 论粮食的经济属性与政府的基本定位．粮食问题研究，（4）：19 – 22.

刘晓梅．2004. 关于我国粮食安全战略目标与模式的选择．山西财经大学学报，（3）：26 – 30

刘修礼．2003. 略议粮食综合生产能力的内涵与提高．江西农业科技，（12）：43 – 44.

卢世刚．2006. 浅谈缺粮区产业化经营．粮食科技与经济，（1）：22 – 23.

卢先明．2005. 公共物品与政府职能．中南财经政法大学学报，（1）：28 – 31.

卢现祥．1996. 外国"道德风险"理论．经济学动态，（8）：13.

卢现祥．1996. 新制度经济学．北京：中国发展出版社．

马鸿运 . 1993. 中国农户经济行为研究 . 上海：上海人民出版社 .

马文杰，冯中朝 . 2004. 构建新型的粮食直补体系 . 湖北社会科学，(2)：88 – 89.

马文杰，冯中朝 . 2005. 耕地流失与粮食综合生产能力的关系研究 . 农业现代化研究，26 (5)：353 – 357.

马晓河，崔红志 . 2002. 建立土地流转制度，促进区域农业生产规模化经营 . 管理世界，(11)：63 – 77.

马彦丽，杨云 . 2005. 粮食直补政策对农户种粮意愿、农民收入和生产投入的影响———一个基于河北案例的实证研究 . 农业技术经济，(2)：7 – 13.

马宗晋 . 1994. 中国重大自然灾害及减灾对策（总论）. 北京：科学出版社 .

庞增安 . 2004. 简论我国粮食综合生产能力 . 社会科学家，(2)：107 – 110.

彭珂珊，张俊飘 . 1996. 灾害大百科全书·生态灾害卷 . 太原：山西人民出版社 .

钱忠好 . 2003. 中国农地保护：理论与政策分析 . 管理世界，(10)：60 – 70.

乔治·恩德勒 . 2002. 面向行动的经济伦理学 . 高国希，吴新文等译 . 上海：上海社会科学院出版社 .

史培军 . 1995. 中国自然灾害、减灾建设与可持续发展 . 自然资源学报，10 (3)：267 – 278.

史培军，王静，爱谢云等 . 1997. 最近 15 年来中国气候变化、农业自然灾害与粮食生产的初步研究 . 自然资源学报，12 (3)：197 – 203.

谭术魁，彭补拙 . 2002. 我国粮食供给安全与耕地资源变化 . 世界地理研究，11 (4)：12 – 17.

谭砚文 . 2005. 中国棉花生产波动研究 . 武汉：华中农业大学 .

汪翔 . 1989. 合理预期学派的总供给模型及其政策意义 . 国外社会科学，(4)：17 – 23.

王姣 . 2005. 农民直接补贴政策的国际比较及我国的完善对策 . 农业现代化研究，(4)：259 – 263.

王为农 . 2006. 八大措施提高我国粮食综合生产能力 . 科学决策，(1)：24 – 26.

王晓东，黄河，姜楠 . 2006. 建设社会主义新农村需要建立农村水利投入新机制 . 水利发展研究，(1)：10 – 14.

王秀东，王永春 . 2005. 依靠科技进步提高我国农业综合生产能力 . 经济论坛，(11)：132 – 133.

王渝陵 . 1999. 影响粮食综合生产能力的相关要素 . 渝州大学学报（社会科学版），(4)：22 – 25.

王征兵 . 2002. 中国农业经营方式研究 . 北京：中国科学文化出版社 .

王征兵 . 2004. 我国粮食安全与科技发展战略 . 科技导报，(5)：21 – 24.

吴方卫，孟令杰，熊诗平 . 2000. 中国农业的增长及效率 . 上海：上海财经大学出版社 .

吴敬学 . 2004. 当前我国农业科技发展存在的突出问题 . 中国农垦经济，(9)：38 – 39.

肖春阳，程亨华 . 2002. 中国粮食安全及其主要指标研究 . 财贸经济，(12)：70 – 73

肖国安 . 2005. 中国粮食安全研究 . 北京：中国经济出版社 .

谢自奋，洪民荣 . 1997. 技术进步与二十世纪中国农业的发展 . 上海社会科学院学术季刊，(2)：5 – 14.

徐浪，贾静 . 2003. 化肥施用量对粮食产量的贡献率分析 . 优质粮油，(1)：10 – 13.

严瑞珍，程漱兰 . 2001. 经济全球化与中国粮食问题 . 北京：中国人民大学出版社 .

严涛.1999.储存粮食不如适当储备粮食生产能力：关于实行部分粮田休耕的建议.中国粮食经济,(8):9-13.

羊绍武.1998.实现农业产业化经营与粮食生产能力提高之间的良性循环.农业经济,(1):41-42.

杨明洪.2000.农业增长方式中的农业投资问题研究.投资研究,(4):22-27.

杨瑞珍,陈印军,郭淑敏.2005.中国耕地资源流失的深层原因及对策.中国农业资源与区划,26(6):37-41.

姚洋.2000.中国农地制度：一个分析框架.中国社会科学,(2):54-66.

叶秀如.2004.耕地保护的重要性及对策浅析.中共福建省委党校学报,(11):75-77.

尹成杰.2004.粮食主产区"三农"工作的思路.中国特色社会主义研究,(1):29-32.

尹成杰.2005.关于提高粮食综合生产能力的思考.农业经济问题(月刊),(1):5-10.

尹树生.1979.农业经济学.上海：三民书局.

游建章.2003.粮食安全经济学：一个标准模型分析框架.农业经济问题,(3):30-35.

于永德.科技组织制度与农业技术进步研究.济南：山东农业大学.

余振国,胡小平.2003.我国粮食安全与耕地的数量和质量关系研究.地理与地理信息科学,19(3):45-49.

翟虎渠.2005.大力加强农业科技创新能力建设.求是,(6):58-60.

张冬平,冯继红.2005.我国小麦生产效率的DEA分析.农业技术经济,(3):48-53.

张红宇.2005.主产区和种粮农民积极性稳定增长机制研究.农村经济,(3):3-8.

张琳,张凤荣,姜广辉等.2005.我国中低产田改造的粮食增产潜力与食物安全保障.农业现代化研究,26(1):22-25.

张圣兵.2001.我国粮食供求矛盾及其平衡战略.现代经济探讨,(4):22-25.

张伟天.2004.合理利用农业水资源新思路.学术交流,(9):66-68.

张晓山.2000.联结农户和市场：中国农民中介组织探究.北京：中国社会科学出版社.

张照新,欧阳海洪,张秋霞.2003.安徽、河南等部分粮食主产区补贴方式的改革做法、效果、问题及政策建议.管理世界,(5):60-66.

赵德余,顾海英.2004.我国粮食直接补贴的地区差距及其存在的合理性.中国农村经济,(8):58-64.

中共十六大辅导读本编写组.2002.中共十六大辅导读本.北京：人民出版社.

钟甫宁.1997.对近期我国粮食供求形势的判断与政策建议.经济纵横,(10):10-12.

钟甫宁,周曙东.1993.市场条件下保障粮食供应与稳定粮价的政策选择.农业经济问题,(11):41-44.

周宏,褚保金.2003,中国水稻生产效率的变动分析.中国农村经济,(12):42-46.

周慧秋.2005.东北地区粮食综合生产能力研究.北京：中国农业出版社.

周天勇.2003.土地制度的供求冲突与其改革的框架性安排.管理世界,(10):40-49.

朱希刚.1994.农业技术进步及其"七五"期间贡献份额测算分析.农业技术经济,(2):2-10.

朱希刚,黄季焜.1994.农业技术进步测定的理论方法.北京：中国农业科技出版社.

朱希刚.1997.我国农业科技进步贡献率测算方法.北京：中国农业科技出版社.

朱希刚.1999. 我国粮食生产率增长分析. 农业经济问题，（7）：2 - 9.

Arrow K J. 1962. The economic implications of learning by doing. Review of Economic Studies，（29）：155 - 173.

Bean L H. 1929. The Farmer's response to price. Journal of Farm Economics，（11）：368 - 385.

Bin zhang, Colin carter. 1994. Rural reforms, the weather, and productivity growth in China's grain sector. University of Adelaide CERU Working paper No. 94/2.

Caves D W, Christensen L R, Diewert W E. 1982. The economic theory of index numbers and the measurement of input, output and productivity. Econometrics, 50 (6)：1393 - 1414.

Christensen L R, Jorgensom D. 1970. U S real product and real factor input 1929 ~ 1987. Review of Income and Wealth，（16）：19 - 50.

Coelli T. 1996. A guide to DEAP version 2. 1：a data envelopment analysis（Computer）. CEPA Working Paper 96/08. Australia：University of New England.

Dale W Jorgenson, Frand Gollop, Barbara Fraumene. 1991. Productivity and U. S. Economic Growth. Oxford：North - Holland Amsterdam.

Fan Shenggen. 1991. Effects of technological change and institutional reform on production growth in chinese agriculture. American Journal of Agricultural Economics，（73）：266 - 275.

Fan Shenggen. 2000. Research investment and economic return to Chinese agriculture research. Journal of Productivity Analysis, 14（92）：163 - 180.

Fare R, Grosskopf S. 1992. Malmquist productivity indexes and fisher ideal indexed. Economic Journal，（102）：158 - 160.

Holden S, Shiferaw B. 2004. Land degradation, drought and food security in a less-favoured area in the Ethiopian highlands：a bio-economic model with market imperfections. Agriculture Economics，（30）：31 - 49.

Huang J, Scott R, Mark W R, et al. 1999. China's food to the twenty-first century：supply demand, and trade. Economic Development and Cultural Change, 47（4）：737 - 766.

Jing Zhu. 2004. Public investment and economic China's long-term food security under WTO. Food Policy，（29）：99 - 111.

Shephard R W. 1953. Cost and production functions. New Jersey：Princeton University Press.

Shephard R W. 1970. Theory of cost and production functions. New Jersey：Princeton University Press.

Solow R M. 1957. Technical change and the aggregate production function. The Review of Economics and Statistics, 39（3）：312 - 320.

Tinbergen J. 1942. Zur theorie der langfirstigen wirtschaftsentwicklung. Weltwirts Archiv，（1）：511 - 549.

附　录

1. 全要素生产率原始数据

地　区	1994 年							
	粮食产量/万吨	粮食播种面积/万公顷	农林牧渔劳动力/万人	农业机械总动力/万千瓦时	化肥使用/万吨	粮食作物占农作物播种面积的比例/%	农业产值/万元	农林牧渔总产值/万元
北　京	276.2	43.01	68.7	459	19.8	144.29	72.52	550.86
天　津	190.3	42.27	83.3	504.3	8.7	94.97	57.71	555.2
河　北	2 523.5	680.17	1 766.3	4 336.4	219.3	796.33	518.27	8 649.31
山　西	890.4	323.54	632.4	1 298.4	71.4	219.02	142.12	4 005.48
内蒙古	1 083.5	402.70	499.7	858.3	44.7	309.32	189.22	4 925.1
辽　宁	1 337.1	302.64	586.7	1 009.1	100.2	602.12	301.35	3 623.53
吉　林	2 015.7	356.67	553.7	598.8	91.8	405.48	270.81	4 059.56
黑龙江	2 578.7	749.64	470.2	1 190	108.5	537.87	381.45	8 662.83
上　海	207.5	34.97	62.7	181	19.5	140.24	60.19	536.8
江　苏	3 046.2	574.29	1 591.3	2 161.4	271.8	1 335.23	777.94	7 855.88
浙　江	1 404.2	274.10	1 187.4	1 496.9	88.2	707.21	372.97	3 802.38
安　徽	2 330.3	579.65	1 960.3	1 683.6	189.9	774.43	507.36	8 130.73
福　建	887.4	200.22	783.3	729.7	101.5	591.35	260.69	2 800.94
江　西	1 603.5	343.06	1 096.4	643.8	105.2	527.86	276.27	5 749.65
山　东	3 921.9	801.41	2 529.6	3 756.4	326.6	1387.03	660.13	10 876.01
河　南	3 253.8	881.09	2 858.7	2 780.5	292.5	883.32	609.62	12 087.73
湖　北	2 422.1	479.68	1379.5	1 136.1	200.2	786.84	481.82	7 180.23
湖　南	2 661	507.74	2120.5	1 459.1	159.4	838.16	479.64	7 730.55
广　东	1 599.5	341.25	1433.4	1 658.1	170.8	1 151.38	628.17	5 207.05

地 区	1994 年							
	粮食产量/万吨	粮食播种面积/万公顷	农林牧渔劳动力/万人	农业机械总动力/万千瓦时	化肥使用/万吨	粮食作物占农作物播种面积的比例/%	农业产值/万元	农林牧渔总产值/万元
广 西	1 272.5	363.36	1 568.8	1 011.5	111.7	537.21	283.71	5 515.83
海 南	192.7	56.35	162.9	167.6	15.8	169.99	74	844.14
重 庆	—	—	—	—	—	—	—	—
四 川	4 047.9	986.91	4 023.8	1 499.7	228.3	1 228.93	689.43	12 636.07
贵 州	938.7	282.41	1 358.9	358.6	63.7	277.13	180.26	4 055.91
云 南	1 146.5	366.89	1 617.2	845	80.4	356.78	228.99	4 848.52
西 藏	65	18.70	86.6	58.5	1.5	23.06	10.05	215.95
陕 西	944.6	410.38	1 048.9	739.1	100.9	302.38	209.5	4 806.21
甘 肃	705.3	288.28	670.5	707	47.8	225.41	157.91	3 709.33
青 海	116.8	38.69	130.2	173.8	6.1	44.87	21.81	562.15
宁 夏	204.1	73.67	134.9	228.6	14.7	45.8	31.55	917.29
新 疆	643.5	150.64	277.4	624.9	57.3	306.47	233.78	2 993.73
地 区	1999 年							
	粮食产量/万吨	粮食播种面积/万公顷	农林牧渔劳动力/万人	农业机械总动力/万千瓦时	化肥使用/万吨	粮食作物占农作物播种面积的比例/%	农林牧渔总产值/万元	农业产值/万元
北 京	201	40.97	71.1	410.4	19	527.1	184.3	91.2
天 津	174.9	43.10	81.5	481.5	15.8	562.9	150.1	91.6
河 北	2 746.3	723.61	1 639.9	6 622.8	272.4	9 055.2	1 539.8	879.6
山 西	821.7	323.92	654.8	1 655	86	3 970.8	305.3	206.3
内蒙古	1 428.5	495.10	525.6	1 241.5	76	6 077	532.3	318.7
辽 宁	1 648.8	305.53	643.2	1 236.5	116.3	3 640.1	977.1	510.9
吉 林	2 305.6	351.34	519.6	897.3	116.2	4 064.1	675.3	388.4
黑龙江	3 074.6	809.85	744.7	1 559.7	126.3	9 261.5	660.5	460
上 海	208.1	33.50	90.4	151.1	20.4	551.7	206.9	87.9
江 苏	3 559	582.85	1 505	2 767.9	335.4	8 023.4	1 837.4	1 095.1
浙 江	1 393	275.19	1 073.6	1 912.5	92.7	3 899.5	1 005.2	519
安 徽	2 771.2	593.49	1 991.1	2 766.2	255.7	8 582.1	1 234.3	706.8

地 区	1999 年							
	粮食产量/万吨	粮食播种面积/万公顷	农林牧渔劳动力/万人	农业机械总动力/万千瓦时	化肥使用/万吨	粮食作物占农作物播种面积的比例/%	农林牧渔总产值/万元	农业产值/万元
福 建	942.2	200.85	779.7	838.7	124.3	2 915.4	1 010.8	425.2
江 西	1 732.7	354.82	1 060.2	853	116.7	5 871	750.3	388.2
山 东	4 269	809.93	2 474.1	6 096.6	419.3	11 236.5	2 203	1 254.9
河 南	4 253	903.23	3 299.3	5 432.9	399.9	12 659.9	1 906.8	1 231.9
湖 北	2 451.9	467.31	1 210.9	1 363.7	251.5	7 788.7	1 126.1	646
湖 南	2 725.4	513.52	2 074.1	2 007	180.9	8 027.7	1 173.3	624.5
广 东	1 967.1	337.10	1 530.9	1 734.9	172.8	5 262.83	1 653.4	859.7
广 西	2 575	372.55	1 603.4	1 375.2	153.8	6 289.4	844.8	454.9
海 南	217	56.77	172	191.7	19.4	931.8	279.7	131.7
重 庆	1 111.6	288.21	955.1	558.5	71	3 612.5	417	249.6
四 川	3 551.4	729.67	2 735.1	1 606.9	210.3	9 717.7	1 376.9	792.8
贵 州	1 125.2	313.59	1 427.4	555.4	67.7	4 612.5	407.1	278.7
云 南	1 399.3	404.21	1 654.9	1 255.1	90.5	5 484.2	642.5	395
西 藏	92.2	20.08	91.8	99.6	2.7	230.4	48.2	26.1
陕 西	1 081.6	402.70	1 008.9	1 010.8	132	4 726.3	452.5	327.7
甘 肃	814.9	291.07	689.8	969.9	64.5	3 808.6	320.6	242.7
青 海	103.6	34.48	144	241.9	7.3	571.2	59	29.3
宁 夏	293.3	81.74	152.8	377.9	29.3	1 031.1	78	51.3
新 疆	799.3	158.56	307	814.2	78.3	3 379.9	461.2	340.9
地 区	2004 年							
	粮食产量/万吨	粮食播种面积/万公顷	农林牧渔劳动力/万人	农业机械总动力/万千瓦时	化肥使用/万吨	粮食作物占农作物播种面积的比例/%	农林牧渔总产值/万元	农业产值/万元
北 京	70.2	15.45	57.9	340	14.5	49.1	262	92.7
天 津	122.8	26.35	80.5	608.1	22.9	52.3	241	95.3
河 北	2 480.1	600.34	1 600.4	8 135.6	289.9	69	2 375.9	1 135.7
山 西	1 062.0	292.54	640.3	2 186.5	93.4	78.2	481.8	290.5
内蒙古	1 505.3	418.11	523.8	1 772.3	104.4	70.6	851.3	411.5

地 区	2004 年							
	粮食产量/万吨	粮食播种面积/万公顷	农林牧渔劳动力/万人	农业机械总动力/万千瓦时	化肥使用/万吨	粮食作物占农作物播种面积的比例/%	农林牧渔总产值/万元	农业产值/万元
辽 宁	1 720.0	290.67	685.8	1 619.5	117.9	78.1	1 510.5	611.3
吉 林	2 510.0	431.32	496.7	1 319.8	159.1	87.9	940.7	486.2
黑龙江	3 001.0	845.80	706.1	1 952.2	143.8	85.5	1 136.6	620.2
上 海	106.9	15.47	65.2	105.2	15	38.3	248.9	109.3
江 苏	2 829.1	477.46	1 134.9	3 052.5	336.8	62.3	2 417.6	1 242.4
浙 江	834.9	145.45	826.6	2 026.7	93.3	52.4	1 332.3	592.6
安 徽	2 743.0	631.22	1 794.7	3 784.4	277.6	68.6	1 644.4	842
福 建	736.5	148.24	722.7	981	121.7	58.8	1 317.3	525.8
江 西	1 663.0	335.01	961	1 465.2	123.5	64.6	1 055	491.1
山 东	3 516.7	617.63	2 180.1	8 751.9	451	58.1	3 453.9	1 891.7
河 南	4 260.0	897.01	3 235	7 521.1	493.2	65	2 963.9	1 602.9
湖 北	2 100.1	371.24	1 105.7	1 763.6	281.9	51.9	1 695.4	921.6
湖 南	2 640.0	475.41	1 975.9	2 923.9	203.2	60.3	1 913.3	874
广 东	1 390.0	278.97	1 525	1 798.7	201.3	58	2 154.8	960
广 西	1 398.5	351.12	1 516.1	1 814.3	195.2	55.1	1 294.5	623.1
海 南	190.1	47.18	190.8	243.9	41.1	57	438.7	170.9
重 庆	1 144.5	251.64	800.8	728.3	77	73.3	612.8	333
四 川	3 146.7	647.65	2 367	2 006.8	214.7	69	2 252.3	987.7
贵 州	1 149.6	303.72	1 288.5	797.3	74.3	64.7	524.6	317.7
云 南	1 509.5	415.85	1 693.7	1 608.5	137.2	70.6	965.2	516.9
西 藏	96.0	17.98	85.2	191.6	4	77.8	62.7	26.6
陕 西	1 040.0	313.41	957.1	1 307	143.1	76.4	651.2	413.7
甘 肃	805.8	253.46	763.6	1 321.3	72.4	69.1	477.4	331.4
青 海	88.5	24.47	131.9	325.8	6.6	51.7	86.6	34.2
宁 夏	290.5	79.17	144	528.5	27.6	68.3	125.5	71.3
新 疆	796.5	141.39	339.4	1 046.5	99.2	39.4	750.7	515

中国粮食综合生产能力研究

2. 政策对粮食综合生产能力影响的原始数据

年 份	粮食产量/万吨	粮食播种面积/万公顷	劳动力/万人	成灾面积比例/%	有效灌溉面积/千公顷	农用机械总动力/万千瓦时	农用化肥使用量/万吨
1980	32 056	11 723.4	18 048.01	20.34	45 003.1	14 746.0	1 269.4
1981	32 502	11 495.8	18 043.54	12.91	44 573.8	15 680.1	1 334.9
1982	35 450	11 346.3	18 338.36	11.04	44 176.9	16 614.2	1 513.4
1983	38 728	11 404.7	18 898.13	11.26	44 644.1	18 021.9	1 659.8
1984	40 731	11 288.4	18 377.05	10.58	44 533.0	19 497.2	1 739.8
1985	37 911	10 884.5	15 916.75	15.81	44 035.9	20 912.5	1 775.8
1986	39 151	11 093.3	16 195.91	16.41	44 225.8	22 950.0	1 930.6
1987	40 298	11 126.8	16 018.23	14.07	44 403.0	24 836.0	1 999.3
1988	39 408	11 012.3	14 944.66	16.53	44 375.9	26 575.0	2 141.5
1989	407 55	11 220.5	15 597.98	16.68	44 917.2	28 067.0	2 357.1
1990	44 624	11 346.6	16 495.32	12.01	47 403.2	28 707.7	2 590.3
1991	43 529	11 231.4	16 196.48	18.59	47 822.1	293 88.6	2 805.1
1992	44 266	11 056.0	15 531.66	17.38	48 590.1	30 308.4	2 930.2
1993	45 649	11 050.9	14 950.90	15.66	49 840.0	31 558.0	3 150.1
1994	44 510	10 954.4	14 059.55	21.17	49 938.0	33 570.0	3 318.2
1995	46 662	11 006.0	13 866.74	14.86	50 413.0	35 837.0	3 593.7
1996	50 454	11 254.8	14 439.67	13.93	51 161.0	38 547.0	3 829.0
1997	49 417	11 291.2	13 843.43	19.69	52 269.0	41 841.0	3 980.7
1998	51 230	11 378.7	13 828.63	16.17	53 400.0	45 208.0	4 083.7
1999	50 839	11 316.1	13 694.85	17.09	54 366.0	48 996.0	4 124.3
2000	46 218	10 846.3	12 677.25	21.99	55 013.0	52 317.0	4 146.3
2001	45 264	10 608.0	12 203.65	20.42	55 517.0	55 042.0	4 254.0
2002	45 706	10 389.1	11 713.63	17.67	54 355.0	57 906.0	4 339.5
2003	43 070	9 941.0	10 214.78	21.33	54 014.0	60 387.0	4 411.6
2004	46 947	10 160.6	10 142.93	10.61	54 478.0	64 028.0	4 636.6